U0127451

小說人物叢書

總策劃◇簡媜

實學社

小說人物 2
秦始皇大傳
[卷二‧龍戰於野]

作　　者／李　約
總 策 劃／簡　娫
主　　編／劉玲君
封面繪圖／陳　濤（秦始皇造型徵獎得獎人）
美術設計／黃清在
發 行 人／周浩正
出 版 者／實學社出版股份有限公司
台北市師大路一八九號六樓
電話：(02)369-5491　傳眞：(02)365-6840
郵撥帳號：18380289　創社日期：1994. 11. 19

排　　版／正豐電腦排版有限公司
印　　刷／鴻柏印刷事業有限公司
電話：(02)365-5808

總 經 銷／吳氏圖書有限公司
電話：(02)303-4150　傳眞：(02)305-0943
法律顧問／蕭雄淋律師
電話：(02)367-7575　傳眞：(02)369-2525

初版一刷／一九九五(民84)年三月一日
初版五刷／一九九五（民84）年四月一日
ISBN／957-9175-03-9(平裝)
957-9175-09-8（精裝）
定　　價／250元（平裝，一冊。）
2000元（精裝，全五卷，不分售。）

行政院新聞局局版臺業字第6433號

【小說人物2】

秦始皇大傳

李約◉著

一個出版社的夢

〈小說人物〉叢書出版緣起

歷史是文明的基石，亦是永恆智產。它既以時空爲經緯，標示一個民族自萌發而壯闊的記憶長牆，又允許現代人超越種族、國界與語系，展開多面向的研發與轉化。我們相信，歷史不是沉重之軛，它所累聚的巨大寶藏，恰能爲一個追求活化和轉型的社會帶來智識能源與視野格局。歷史如鏡，作爲一個出版者，我們願意秉持謙恭之心與雍容大度的胸襟，邀集讀者一起與我們巡視歷史，用現代的眼界與識見，觀歷代興衰之理，察亂世與治世之律，窺文明躍進之道，析人性慾求之則，更追蹤億萬生靈於他們僅有的時代何以遭逢塗炭？何以安享昇平？而這一趟尋訪，當有助於提高境界、拓展視域，藉而遠瞻我們的未來，啓動轉捩之鈕。

實學社開闢〈小說人物〉叢書，即是落實這種出版理念，鎖定歷史上具有決定性影響的人物，他們啓動了那一代的關鍵之鈕，或盤整亂世，或創發新紀，或誤觸機括、燎成惡局。無疑地，他們已成爲後世眼中震古鑠今的典型人物，其才略與智謀、格局與氣度，甚至性格特質，並未隨著時間而灰滅，在現代社會、不同的領域裡，俯拾可見這些典型人物特質的再生與分化。所謂鑑古知今，即是解碼。

〈小說人物〉叢書企圖透過現代小說家之如椽大筆，以史實爲藍圖，鋪設架構，馳騁想像，重塑其形貌與特質，用生動活躍的文采使他們所置身的那一段歷史復活，讓讀者在具有親和樂趣的閱讀中，各有斬獲。

實學社更希望〈小說人物〉叢書的經營，能引動國內更多優異作家共同營運出歷史小說類型創作的高峰，「百萬羅貫中歷史小說創作獎」的舉辦，即是我們誠懇的邀請函。作爲一個出版者，實學社願意構築一個歷史小說的大舞台，培育並等待經典的誕生。

我們相信，這個夢想會實現。

【目錄】

2 龍戰於野之卷

秦始皇大傳〔2〕

龍戰於野之卷

◉第7章

慾海政潮

1

「天哪！天哪！我趙高做了什麼得罪你，竟要我落得如此下場！」每逢無人，他氣憤塡膺時，就會手揑雙拳，咬牙切齒，悲苦的仰首向蒼天問。

天下還有比這更不公平的事嗎？他趙高的父親李代桃僵爲他的父親死了，他嬴政卻將他下蠶室去勢，要他成爲一個男不男、女不女的怪物，只爲了他父親臨死前一句亂命——要他長久留在宮中嬴政身邊。

長留宮中，除了王室有血統關係的未成年公子以外，全都得割掉男人的象徵，成年的公子都得出宮自立門戶。

這是周公訂的哪門子怪「禮」？爲了怕淫穢後宮，凡是男人都要閹了，那爲什麼不都用女人？

每逢他想起下蠶室的那段日子，到現在背脊還發涼出冷汗。

幾個彪形大漢讓他成大字形的躺在木架上，手腳都綁得緊緊的，然後灌了點什麼東西給他喝，喝完以後，他就像醉酒似的，似醒非醒，似睡非睡，呈半昏迷狀態。有人用薄得像木片的刀，割弄他下面，刀上不知放了什麼藥物，割到哪裡，就痲到哪裡，但剛割下去的頭一刀，好痛！他額頭上、臉上、背上都疼得流冷汗，最後終於支持不下去，他昏厥過去。

等到他醒來時，發覺到自己已鬆綁，躺在一間密不通風的房間裡，連門窗的隙縫都塞得緊緊的，只留下屋頂的透氣孔，有點光線透進來。他們說去勢的人怕風，風一吹到就會死。

他在這間黑屋子整整待了四十天，傷口才算完全癒合，只有全身仍是軟綿綿的。但是，肉體上的傷口雖然是癒合了，他心靈的傷口卻仍在流血，始終在流著憤恨、羞辱的鮮血，永遠也不會結疤！

嬴政和成蟜這段時間內一起來看過他兩次，成蟜臉上還帶著些許憐憫，嬴政卻完全是一副理所當然的表情，他一定是在心中如此想：

「一個奴僕的兒子，能長留宮中陪寡人，乃是你的榮幸，多少大臣想單獨見寡人一面都不可能！」

但他可知道，一個沒有男人象徵的男人，其他的一切榮華富貴對他還有什麼意義？

他恨嬴政，表面卻不能表示出來，他還得俯伏叩首謝恩，感謝給他這個機會，能長久得侍主上，可以日日得瞻龍顏！

他知道，這不能全怪嬴政，他只不過是個傀儡，決定這一切的還是呂不韋和楚玉太后那對奸夫淫婦。

也許眞的是禍從口出，呂不韋和太后私通的事，早已沸騰在後宮，只有嬴政和成蟜兄弟倆不知道。

這對奸夫淫婦先是夜間偷偷來往，後來看見沒有人敢說話，越來越大膽，公然白天在甘泉宮宣淫取樂。

這件事後來終於傳到嬴政的耳中，他先問成蟜，成蟜說不知道，接著是嚴厲的問他，他不得已含糊的回答，好像是聽到這種傳言。

想不到嬴政就指派他監視呂不韋的行動，一得知他到太后處就向他回報。

他也聽過另外的傳言，呂不韋和太后原本就是夫婦，嬴政就是他們生的，他不願管他們父子夫妻間的事，所以一直沒有回報過。

但有一天深夜，嬴政從別處得到相國還在太后寢宮的消息，他一個人去了，親眼看到玉石樓上燈光輝煌，親耳聽到呂不韋和太后的淫聲褻語，他已拔劍在手，準備衝上樓去，卻臨時克制了自己，他只解下腰上的玉帶，交給跪伏在地上全身發抖的湘兒，要她轉告太后，他剛才來過。

就這樣，呂不韋懷疑是成蟜或他打的小報告，於是在莊襄王已去世五年後，又重提他臨終前的那句話——他希望趙高留在宮中長陪嬴政。

要長留在宮中，當然就得去勢，於是楚玉太后找到這個藉口，就將他變成個不再是男人的男人！

2

當然，蘭姨比他更慘！

蘭姨也就是秦莊襄王的寵姬蘭兒。秦莊襄王在世時雖然是廣納姬妾，能專擅寵愛的卻只有蘭姨一人。

莊襄王當時常召見他，將他當作自己的兒子，召見的時候，通常都在蘭姨的宮中。他有時會當著他的面向蘭姨說：「這個孩子的稟資超乎常人，假若你能生個兒子，朕就會立他為太子，而這孩子長大以後，會是輔佐妳兒子的能臣。」

也許是為了這番話，蘭姨特別疼他，就像自己的兒子，在莊襄王死了以後，還常召他去。

這同時也給了恨她入骨的楚玉太后一個藉口，重提莊襄王彌留時的一句囈語：「蘭兒，我好孤單寂寞，快來陪陪寡人！」

楚玉太后五年後重提這句話，說是莊襄王前些日子託夢給她，原先殉葬的那些姬妾，他都不滿意，在地下仍然孤單寂寞，希望蘭姬到黃泉之下去陪他。

誰都知道這是鬼話，要是莊襄王眞感寂寞孤單，眞的要託夢的話，也應該是才死不久以後，絕不會等到五年以後才想到要蘭姨去陪他。

華陽太后開始時反對，可是楚玉太后對她說，莊襄王死後，蘭姬還常召趙高到她那裡去，而趙高如今已不再是小孩子……底下的話不需要說了。

爲什麼自己後宮公開宣淫，卻要將他和蘭姨純潔的關係帶上一層曖昧，還要藉此來陷害他們兩個？

當天蘭姨入陵的情景，如今他還歷歷在目，只要閉上眼睛，就會在他面前重演。

那天，由嬴政主持送行大典，他和成蟜分站在嬴政後面。臨走前，嬴政還贈封她爲蘭太后。

一個卅歲不到的女人，竟然成了去陪已死五年丈夫的太后！

那天大典的場面極爲壯觀，蘭太后坐在黃蓋駟車上，兩旁侍立著也要去殉葬的宮女。她臉上表情肅穆，看不出有絲毫恐懼，也許她內心眞的希望早點陪愛她的莊襄王於地下，後面是廿四名陪葬宮女，手上捧著各種日常用具。

行列最前面是穿著白色衣服的女巫，帶著六名同樣服色的女弟子，一邊走一邊唱著祝歌，時而歡悅，時而悲悽。

前後都有甲鮮盔明的虎賁軍開道和護衛，黑色旌旗蔽空。

咸陽城萬人空巷，全部擠到了街道兩邊，沿路上都有路祭桌，上面點著香燭，擺滿了祖道的酒菜，車隊一到，民眾全家都跪在地上哀號。

可是蘭太后美麗的臉上仍然沒有任何表情，她像一座玉雕神像。

只有在入壙和封壙之前，趙高才看到她轉頭一瞥，視線是對準著他來的。他在她眼神中看到了哀怨和恐懼。

花樣年華的一位美人，帶著廿四名比她更年輕的女人，就此活生生的走向黑暗和死亡。

他滿懷憤怒，兩手揑拳，指甲都將手心挖出了血。

但他當時還未想到，沒幾天後生不如死的遭遇會降臨到他自己頭上。

那天楚玉太后沒來送行，也許她怕蘭太后會當場發作，罵出一些不中聽的話來。

他趙高一定要報這兩件恨事。他們也許會作如此想，蘭太后已埋入地底，他趙高已成了廢人，但只要留在嬴政身邊，他就能夠將嬴政家和秦國弄得天翻地覆！

3

「老爹教我，嬴政到底該怎麼辦？」秦王政跪伏在中隱老人面前痛苦的說。

老人剛聽完他有關發現母后和呂不韋私通的事，兩眼微閉，似乎正在思考。

老人顯得更老了，髮鬚都由白而轉黃，臉上皺紋也加深加多了，唯一不變的是他那雙奕奕有神的眼睛，仍然像電光一樣眩人。

「其實這也是件沒有辦法的事。」老人緩緩的睜開眼睛說。

「那就這樣算了，要我不聞不問？」秦王政憤恨的說。

「天要下雨，娘要嫁人，這是任何人都制止不住的事。」

「但她不是嫁人，她是偷人！她不是一般的娘，她是母儀秦國的王太后！」秦王政恨恨的說。

「把她殺掉！你可以立刻下令將她和呂不韋殺掉！」

「……」秦王政瞪大眼睛，呆住了。

「你能殺她嗎？她是太后，也是你親生的母親。」

「但是……」

「而且，」老人沒讓他說話，自顧自的繼續說：「你還未親政，乃是她在攝理政事，宮中更是她在掌管，你平時還可以指揮得動人，一遇到她的事，你誰也使喚不動，不相信，你可以試試。」

秦王政默不作聲。

「同時在外面，呂不韋一手掌握大權，滿朝文武都是他的親信，蒙驁和麃公都在外作戰，你下令回軍，兵符在太后手中，再說，你能爲這點私事弄得整個國家不安？再說……」

老人說到這個「再說」，將下面的話硬吞了下去。他不知道秦王政是否聽到過自己是呂不韋親生兒子的傳聞，但這句話不應從他的口中說出來。

「老爹，再說什麼？」秦王政不放鬆的追問。

「沒什麼。」老人搖搖頭，長嘆了一口氣。

「那我到底該做什麼？」

「什麼都不要做。」老人又嘆了口氣。

「老爹的意思是要我忍下去？是可忍，孰不可忍？」嬴政厲聲的說，可是眼睛卻汨汨流出了眼淚。

老人慈祥的看著他很久，突然問了一句不相干的話：

「嬴政，你今年幾歲了？」

秦王政楞了一下，不明白他問話的意思，但仍然回答說：

「十八了，嬴政已登基五年，卻未掌握到一點實權！」

「廿而冠，好好的忍這兩年，等你成人後，太后和呂不韋沒有藉口再不讓你親政。」

「兩年？兩天我都忍不下去！」秦王政哭出聲來。

「但你必須忍這兩年。」

「兩年以後我又能怎樣？她到底是我的親生母親！」秦王政哽咽著。

「所以，這種事你只能暗中警告呂不韋，一方面想辦法勸諫太后。」

「我能做的只有這麼多？」秦王政語氣中充滿無奈。

「現在你連這都不能做，」老人警告說：「無論是太后或呂相國，你若刺激他們老羞成怒，後果都是很可怕的！」

「那我到底該怎麼辦？」秦王政痛苦的又重複這個問題。

「忍，目前你只能忍，裝著什麼都不知道。」

「但是我親耳聽到他們的嬉笑淫亂聲，還將玉帶交給了侍女，告訴他們我來過。」

「你這樣做已經錯了一步，不能再錯第二步。記住我的話，從現在起，你要當作什麼都不知道。因爲他們假若知道檢點，你的這項警告即已足夠，假若他們不願檢點，你再進逼，只有自招其禍，他們廢掉你，甚至是殺掉你，並不是不可能的事！」

「我不能忍，的確忍不下去，這樣好了，老爹，我不要當什麼秦王了，我侍奉著你，走得遠遠的，找一個地方隱居去！」秦王政用衣袖擦乾眼淚，堅決的說。

「傻孩子！」老人愛憐的摸摸他的頭說：「都十八歲的國王了，還跟八歲時候一樣。你能忍的，你絕對可以忍的！宇宙間沒有不能解決的問題，也沒有不能忍的事。事情的能不能忍，全在你的看法。你肯忍，再大的事你也能忍，你不肯忍，一隻蚊子叮你，也能使你發狂，對不對？」

「……」

「回去吧，從現在起，你想到這個問題難過時，你就笑著告訴自己，你能忍的！你能忍的！因爲還有秦國等著你去治理，還有天下等待你去平定統一，你要忙的事情太多，不能讓這樣無關大局的事，擾亂了你的心智，一切等你自己親政時再說！」

4

夜深人靜，壁上沙漏顯示出丑時已過。

呂不韋坐在几案前，批閱堆得比他頭還高的奏簡，偶爾他抬起頭來活動一下肩膀和手臂，繼續又埋首在奏簡中。

忽然他覺得身旁有人悄悄接近，他回頭看見太后就站在他身後。

她披著一件黑色披風，將整個身子都包得緊緊的，還用一塊黑色綢絹將半個臉蒙了起來。

「不知太后駕到，微臣有失遠迎。」呂不韋改坐爲跪就要行禮。

太后一把拉住他，哀怨的說：

「不韋，在私室裡，你也要如此做作？」

「妳今晚怎麼會有空，而且是來到這裡，我不是說過，我們暫時不要見面麼？」呂不韋恢復私人間談話的口氣。

「還說暫時，都兩個多月了！」太后怒沖沖的說：「你不敢去我那裡，只有我到你這裡來了。」

「玉姬，我們要忍耐一下，兒子現在已大了，越來越懂事，再過兩年他就要親政，我們不能這樣自私，爲了貪一時的歡愉而弄出禍事來，他已經交玉帶表示警告！」呂不韋委婉的說。

「你本來就是他父親，我們原來就是夫妻，這樣做有什麼不對？」太后說著話，坐下來依在呂不韋的懷裡。

「話不能這樣說，」呂不韋耐心的用哄小女孩的口吻說：「人事和環境完全變了，我們不能不有所顧忌。」

「乾脆告訴他，你是他父親……」

呂不韋搖搖頭，回頭看看門口。

「除了繡兒以外，門外沒有人，警衛也站得很遠，他們都聽不到我們的談話。」太后明白他的意思，因此說。

「絕不能告訴他，這會引起軒然大波，尤其是目前朝中正有一股反對勢力在逐漸形成。」

「反對勢力？蒙驁和麃公不是都正在外面作戰嗎？」

「一些宗室大臣正醞釀著排斥我，他們說我是從趙國來的，而且在趙國還有商業利益，怕對秦國不利。」

「他們談到嬴政的事沒有？」楚玉太后忍不住問。

「大致上沒提到，但也有少部份人贊成擁立成蟜，認為他才是嬴家骨肉，不過這班人不受他們大多數人的重視。重要的宗室大臣卻提出另一個更具威脅的要求——要嬴政早日親政。他們的理由是，嬴政已經十八歲，而且天資聰穎，性格英明果斷，有足夠的執政能力。像秦孝公十六歲立，昭襄王十九歲立，都沒有人攝政，但全都是英明君主。」

「那你就將大權交還給嬴政吧，」楚玉太后說：「橫直他是你自己的兒子。」

「暫時還不行，要等政局安定以後，否則嬴政一掌握大權就會受到那些宗室大臣的包圍，將目前我建立的一點基礎全部連根拔掉！」呂不韋搖搖頭說。

「那就是說將宗室勢力完全瓦解以後？」

「不錯。」

「那你用什麼藉口？」

「等嬴政行冠禮成人以後。」

「那也只有一年多的時間，他是正月生的，後年正月他就是廿歲。你來得及瓦解宗室大臣的這股勢力嗎？而且到現在，他們的帶頭人我們還沒找出來。」

「按照周禮，男子廿而冠，但未說明是及廿而冠還是滿廿而冠，我可以解釋爲滿廿而冠，這樣我們又可以多爭取一年的時間。他剛親政，一切都不熟，必須要我指導，至少要經過半年的時間，有三年時間來消除舊派勢力，應該是足夠了。」呂不韋充滿自信的說。

「你準備如何進行呢？」太后也聽得有興趣起來。

「先向成蟜下手，讓他們沒有集中著力之處。」

「嬴政很愛成蟜，經過這幾年我的觀察，成蟜本人也沒有什麼野心，說實在的，我也慢慢的喜歡起這孩子來了。」楚玉太后表示反對。

「行大事不拘小節，成大愛就得割棄小愛，妳不能有婦人之仁，爲了我們兒子的千秋萬世大計，只有犧牲掉成蟜！」呂不韋不以爲然的侃侃而論。

「但成蟜受夏太后和華陽太后的保護，投鼠忌器，我們不能輕舉妄動。」楚玉太后憂形於色。

「三年中間總會有機會的，我會看情形把握！」呂不韋陷入了沉思，似乎現在就在考慮可乘之機。

楚玉太后在一旁可忍耐不住，她輕撫著他的臉頰說：

「我今晚來不是爲了要說這些，我相信一切都在你掌握之中。」

「哦，」呂不韋從沉思中醒過來：「妳想說些什麼？」

「爲什麼這樣久不到我那裡去？」太后又擠進他懷裡：「人家好寂寞。」

「妳可以用湘兒和繡兒排遣寂寞，」呂不韋興味索然的將她身子扶正：「我們不能再見面，免得給對方抓住把柄。」

「那我要怎麼辦？自從和你再續前好以後，繡兒和湘兒對我已成雞肋，食之不能充飢，總覺缺乏男人的那份充實感覺。」

「你只是需要男人？」呂不韋微笑的看著她：「那很簡單。」

「不只是男人，要像你這樣能滿足我的『好』男人！」她將「好」字說得特別重。

「妳先回去，我會幫妳物色，物色到就通知妳。」

「那今夜……」太后忸怩著不想走。

「今夜不行！」呂不韋正色的拒絕，但怕傷她的心，隨即語氣又變得極其柔和：「妳需要的只是男人，我會幫妳找到最『好』的男人。」他也將「好」字加重語氣。

說完話，他大聲對門外喊：

「女總管，送太后回宮！」

他恭送太后出門以後，再回到書房，思緒已被打亂，奏簡再也批閱不下去，他索性考慮起要爲太后物色的「好男人」來。

忽然，他想到上個月才從趙國邯鄲投奔他門下的嫪毐！

5

「嫪毐！嫪毐！」眾多人拍手歡呼。

「加把勁！再加把勁！」更多的聲音此起彼落。

呂不韋相國府「共樂廳」的大廳中，數百位高級門客正在飲酒取樂，大家的視線全集中在前面的舞台上。

大廳中幾百盞琉璃燈全部點亮，照得廳內光亮有如白晝，對面看人，纖毫可見。

幾十個席案繞場而設，三五成群、十個八個的門客據案大嚼，侍女男僕不斷的送酒送菜，川流不息將整鐔整鐔的酒倒在銅酒壺內，由客人再倒向酒爵，但有些客人不滿意，乾脆奪下酒鐔自己來。

客人豪放，上的菜更結實，一頭頭的烤乳豬、燜羊羔，連頭帶尾，整個端上來，有的人根本不用準備好的象牙箸和陶調羹，解下佩刀就切割起來往口中塞，揮著手攆，要上前服侍的侍女男僕走開。

「嫪毒！嫪毒！」眾多人拍手歡呼。

「加把勁！再加把勁！」更多的聲音此起彼落。

呂不韋陪著楚玉太后坐在特設的「觀賞閣」內，席案上也擺設酒和菜，加上焚香裊裊，和底下喧嚷嘈雜的場中相比，別是一個天地。

「觀賞閣」是建築這座「共樂廳」的趙國巧匠的精心傑作。它從場外的迴廊越空而架，由閣道直接通到舞台前面，居高臨下，連舞台上人物的鬚眉和眼睛都看得清清楚楚，就像對面看人一樣。

整個四面開著琉璃落地窗，用珠玉繡簾遮住，簾內看台上及場中非常清晰，台上和場中看簾內，則是隱隱約約，一片朦朧。

往日，呂不韋會帶著眾姬妾到閣中欣賞舞台表演，他將四周的珠玉簾拉開，「觀賞閣」就整個成為透明，他環行四周，舉手接受場內觀眾和台上演員的歡呼，然後再放下垂簾，這時觀眾和演員只看得到珠玉簾的彩繡和珠玉的閃亮，根本不知道呂不韋是否還在裡面觀賞，但相國與下同樂的氣氛，卻因此而維持到終場。

這在秦國、在天下都是個創舉，本來，聆聽金石絲竹之聲，目覽美色歌舞之娛，只是少數王侯將相的特權，這個平民出身的相國卻和家人分享，因此也抓住更多豪俠死士之心。

「嫪毒！嫪毒！」眾多人拍手歡呼。

「加把勁！再加把勁！」更多的人大叫。

太后貼近落地窗，從珠玉間隙中看出去，全身起了一陣輕微顫抖。

呂不韋站在她身後，撫著頷鬚微笑。

湘兒、繡兒分站兩邊，不時轉臉向外窺視，然後以袖掩唇，相視偷笑。

只見舞台上的嫪毒身高九尺（約一百九十公分左右），全身肌肉成塊狀，稍用力運作，塊狀肌肉都像在流動一樣。

最妙的是，他的身材魁梧，粗壯得像雄獅，像犀牛，臉卻俊秀得處子一般，白皙得有如冠玉，嘴唇紅得像塗過胭脂一樣，眉清目秀，挺直高隆的懸膽鼻，更是他面部美的焦點。他全身赤裸，腰間只穿著一條犢鼻褌，正做著運動肌肉的動作。

「老天，天下竟有這種俊男！」楚玉太后忍不住輕呼出來：「男神身材，仙女臉！」

「這不是他最精彩之處。」呂不韋笑著說。

忽然，舞台幕後傳出絲竹八音之聲，一陣輕柔的音樂奏起，幕後一位身著薄紗舞衣的麗人，輕歌曼舞的舞了出來。

她跳的是一種西戎人求偶之舞，舉手投足，全是挑逗男人情慾的動作。她圍著嫪毒起舞，由遠而近，先是貼身作眉目傳情，緊接著用手及肢體觸摸，最後緊擁著他全身上下扭動起來。

場中這時都屏息觀賞，聽不到一點人聲。

嫪毒先是站立不動，任憑舞伎挑逗，後來，他臉色泛紅，兩眼射出情慾火焰。

「他眞能禁得起挑逗！」楚玉太后自言自語的讚嘆。

「禁得起挑逗的男人才耐得住久戰。」呂不韋意有所指的說。

「你看，他終於有反應要發作了！」楚玉太后輕聲歡呼。

只見嫪毒的犢鼻褌前面逐漸隆起，就像有條巨蛇昂首欲出。

嫪毒一聲怒喝，將緊抱著他作扭動狀的舞伎，用一隻手就舉了起來，另一隻手撕掉她身上的舞紗，露出全身羊脂般的赤裸胴體。

場中空然一陣暴喝，全場人都站了起來，等著看下面進一步的動作。

「嫪毒！嫪毒！」眾多聲音喊著。

「開始做！開始做！」更多的聲音此起彼落。

楚玉太后也眼中露出異彩，她回頭看看呂不韋，將他的手握得緊緊的。

誰知嫪毒將裸女一丟就丟到台下人堆裡，自己卻轉身幕後去了。場中一片混亂，久久不息，接著是另外的歌舞節目上場。

「你不是說還有最精彩之處？」太后有點失望的問。

「妳沒看見他犢鼻褌隆起的程度？難道還要他當眾脫下來？」呂不韋笑著就席位。

「怎麼知道不是虛有其表？」太后興致未減，繼續這個話題。

「我知道他很深，他在邯鄲我門下很久，有次我和我最親近的幾個門客集會，他曾表演過以男人象徵推車輪而行的特技，絕不是虛有其表。」

「啊！」太后以袖掩口，驚詫得說不出話來。

半晌，她才舒口氣說：

「今夜送他到甘泉宮！」

「不行。」呂不韋搖搖頭。

「爲什麼？」她臉上出現怒色。

「稍安勿躁，很快會送去，不過得先經過一番手術。」

「手術？」

「不錯，先將他變成宦者進宮。」呂不韋神祕的說。

「變成宦者，那我要他何用？」這次她眞生氣了。

「這就看太后對負責去勢的主事者如何交代了。」呂不韋微笑。

「啊，我明白了，」太后高興的拍手說道：「這個主意甚妙，我得好好謝你！」

「只要免臣再服勞役，臣就感激不盡了。」呂不韋一揖到底，輕笑出來。

「早日辦好，現在哀家要回宮了。」太后顯得神采飛揚。

呂不韋連忙派人吩咐準備太后車駕。

6

一間密室裡，幾盞油燈燈心如豆，微弱的光影在室內集會的人臉上跳動，氣氛顯得神祕陰森。

室內共有七人，全都爲宗室或舊朝大臣，以國尉桓齮和長吏蒙武爲首，圍集在一張長几案上討論國事。

桓齮身高九尺，長相威猛，獅鼻環眼，滿臉的絡腮鬍。他是秦宗室，國尉本應掌握兵馬大權，可是如今將軍在外作戰，一切直接向相國文信侯呂不韋報告，日常軍務又由呂不韋所任命的右國尉所包攬，他只落個素食尸位，大權旁落。

蒙武則是大將軍蒙驁的兒子，蒙驁本亦爲莊襄王臨終託孤顧命大臣，但他對呂不韋的擅權和久不交還政權深爲不滿，因爲他連年在外領兵作戰，照應不到朝內，所以命蒙武與反對呂不韋的勢力連絡。

蒙武三十歲不到，面目俊秀，長身玉立，乃秦國有名的文武全才，自小就被國人視爲神童。

這些人談論當前情勢已畢，等著共同擬訂出結論和行動方案。

此時有一位個子短小精悍的宗室大臣說：

「本來我們想利用呂不韋和太后之間的醜事，抓到眞憑實據後，一舉將他推倒，逼他將權力交還主上。另方面再召開宗室會議，取消太后的攝政權，讓她退居深宮養老。但據最近的宮中眼線報告，他們已中止私下來往，他們商議政事，都有主上在場，我們連一點把柄也抓不到了。各位是否有另外扳倒他們的方法？」

「我倒想出一個辦法，」一位身材修長的宗室大臣說：「主上是呂不韋的兒子，這個傳言久已傳遍天下，近來主上年已十八，應該能親政了，呂不韋卻仍緊抓住大權不放。雖然近年政令已由主上用王璽發出，不再用太后璽副署，但凡是奏簡均先由呂不韋擬幾個批覆，再由主上在其中選擇一個，呂不韋所以能如此做，不能說和這項傳聞沒有關係。所以在下建議，是否可以擴大這項傳言的流傳，再加上太后本是呂不韋姬妾和主上是八個月早產的事實，鼓動民間風潮，要求認證主上不是親生。這方面我們召開宗室會議，提出歷年來所蒐集的太后和呂不韋淫亂的人證物證，乾脆廢掉嬴政，改立成蟜。」

「各位對這個建議有什麼看法？」桓齮環視眾人：「事關重大，各位請愼重考慮。」

眾人沉默著互看，有的爲了怕暴露臉上表情，索性將臉隱入陰暗處。

「蒙大人有何高見？」桓齮見久久沒有人說話，他點名蒙武要他發言。

「這著棋下得太險，而勝算很小。」蒙武徐徐的說。

「你的意思……」剛才提出建議的宗室大臣想爭辯。

蒙武沒讓他插話，而是繼續侃侃而言：

「第一，宗室會議不見得一定會通過。第二，全國主要軍力目前都在前方作戰，回軍不易，而咸陽城尉和附近幾個縣的縣尉都是呂不韋的人，城卒、縣卒我們根本調不動。再加上虎賁軍都尉是太后親信，兵符和衛卒的指揮權全操在太后手中。更別忘了，呂不韋家僮逾萬，其中不乏英勇善戰之士。在這種情形下，只怕日出時宗室會議通過這項決議，日暮時有關的宗室大臣都已遭到滅族的命運。第三，軍隊在外作戰正吃緊，國內大亂，正好給山東各國有可乘之機，他們要是齊心協力，秦國就危險了。」

「蒙大人的話有見地。」桓齮連連點頭。

「那我們應該怎麼辦呢？難道說，我們就這樣眼睜睜的看著呂不韋將秦國變成客卿的天下？等待著他將我們這些宗室和舊臣，一個一個的收拾掉？」那位身材修長的宗室大臣不以爲然的說。

「所以目前我們不能輕舉妄動，尤其不能讓他看出我們是在做有組織的反抗。呂不韋目前雖然是一手遮天，但到底是外國人，所掌握的權力全是依附在主上這條根上，並沒有深植到民間基層，所以只要逼他離開相國這個位置，他所有的勢力都會像沒有根的花一樣，沒多久就會凋謝枯萎。主上這條根，不管傳聞怎麼說，我們只有善加保護，絕不讓他受到絲毫傷害，免得動搖國本。」

「蒙大人言之有理。」眾人異口同聲的說。

「只是我們實際上應採取何種行動呢？」那位宗室大臣猶不服氣。

「這很簡單，一方面目前我們只有忍，等著主上行冠禮成人，他和太后再沒有獨攬大權的藉口，再看情形。另方面我們買通他親近的人，隨時偵伺他的行動，一有動靜我們立刻可做防備。」

「各位可有這種人選？」桓齮又環顧了一下眾人問。接著他自言自語的說：「宮中舊人本來就多，不露痕跡的收買幾個人非常容易，但呂不韋的親信是他的死士，想打入和買通都很困難。」

「在下卻有一個人可推薦。」蒙武微笑著說。

「是誰？」眾人爭相發問。

「李斯，原是呂不韋的舍人，前不久由呂不韋推薦為長吏，現主管間諜系統——這是他的祕密身份，希望各位大人不要說出去——專司遊說各國、收買或刺殺各國權要之事。」

「啊！」眾人一致表現出失望：「這怎麼行！」

「與虎謀皮！與虎謀皮！」那位身材修長的宗室大臣更是接連著說：「得不到他的眞消息，反而讓呂不韋知道了我們的底細，這怎麼成！」

「稍安勿躁，」桓齮以主席的身份制止了眾人的鼓噪：「請聽蒙大人將話說完。」

然後他皺著眉問蒙武：「這個人可靠嗎？是何來歷？」

蒙武簡要的介紹了李斯——

李斯，楚國上蔡人，年輕時爲縣中小吏。他看到廁所裡吃大便的老鼠，遇人或狗到廁所來，牠們都趕快逃走；但在米倉看到的老鼠，一隻隻吃得又大又肥，悠哉遊哉的在米堆中嬉戲交配，沒有人或狗帶來的威脅和驚恐。他因此有了感嘆，人無所謂能幹不能幹，聰明才智本來差不多，富貴與貧賤，全看自己是否能抓住機會和選擇環境。

他看楚國雖大，歷代君主都沒有出息，不像能有所作爲。而其他的國家都太弱，滅亡只在旦夕！只有秦國最強大，歷代君主也企圖心旺盛，個個英明奮發，於是他向老師名儒荀卿告辭說：

「爲人最大的恥辱就是卑賤，而最可悲的事乃是窮困，長期處於卑賤地位而忍受窮困。藉口避世，自認淸靜無爲，這並非讀書人眞正的意願，只是求不到富貴的託詞罷了！現在學生決心遊說秦國去了。」

他來得不巧，正碰上莊襄王去世，只得投在呂不韋的門下。

「李斯此人見識遠大，看出呂不韋雖然權傾一時，但就像養在花瓶中沒根的鮮花，經不起多少時日。所以他刻意和我結交，希望藉由宗室和舊臣的力量，在主上親政、呂不韋倒下以後，能受到重用，發揮他治國平天下的才能。」

「這人可靠嗎？」桓齮帶著懷疑的問。

「可不可靠都不要緊，我只是單線和他來往，保證他在呂不韋倒後，可以藉由重臣和宗室與主上直接發生關係，受到更大的重用。目前要求他回報，只是供給一點呂不韋計劃及行動的消息，大將領兵在外，兒子幫他觀察當政者的意志和動靜，這是人之常情，就是呂不韋知道了，也不會見怪。何況李斯是有求於我，而且他一點都不知道我們已有了組織。」

「這倒是可行的，只要不洩漏我們眾人的身份。」眾人異口同聲的說。

「絕對不會，有事只有在下和家父承擔。不過在下要各位保證的是，異日要在主上面前力保他。」

「當然，當然！」桓齮和眾人都這樣承諾了。

會議在相當滿意的氣氛中結束。

7

秦王政和成蟜剛從中隱老人處聽訓出來，和往日一樣，他們不急著回宮，而是帶四名力士隨從打獵去了。

現在他們已完成帝王學教育，只是每逢朔望早晨去向老人請安，順便請教點問題，聽老人教訓幾句。

老人歲數增加越多，話反而越來越少，很多次在他們問安行禮以後，老人就會照例說：

「沒有什麼事，你們就回去吧！」

嬴政如今已爲秦王，日夜都忙著政事，每項政事呂不韋都要他參與並批覆，只是提早爲他準備好答案而已。他每個月難得和成蟜見面兩次，更是不能放鬆機會，要和成蟜痛痛快快的玩兩天。

今天和往日一樣，他和成蟜都是短衣勁裝，身揹弓箭，足登船頭長靴，手執馬鞭。秦王政騎的是一匹純白汗血馬，乃是陽泉君所獻，他用白翟贈給他的汗血馬配其他純種母馬，十幾匹良駒中，只有這一匹是純白汗血寶馬。成蟜騎的則是全身通黑、沒有一根雜毛的烏騅馬。

兩人同年，而十八歲是男人之間差異最大的年齡。

秦王政越長越英挺，面部的早熟加上他的龍行虎步，舉止安泰，使他看上去像是二十好幾的成人，但臉上那股原有的稚氣，卻逐漸爲一種陰鷙之氣所取代。

他說話遲緩，幾乎是一字一字的自口中吐出，配上他的狼音豺聲，令人聽了不寒而慄，自帶一種威嚴。

成蟜卻依然童子般的俊秀，稱得上是唇紅齒白，長身玉立，有如玉樹臨風的倜儻，只是舉手投足之間，仍然帶著一股稚氣。

他們出得宮門，就將原有的四名力士隨從都打發走了。因為有人跟著，就會受到監視，他們的一舉一動，從人都會向呂不韋相國和太后提出報告。懷著這種受監視的感覺，怎麼能玩得痛快！

「兄長，今天我們上哪裡？」成蟜勒馬問。

「上林！」秦王政口中回答，手中馬鞭虛揮作響，白馬已衝了出去，他回頭高喊著：「成蟜，今天我不再等你，眞正比賽一下馬的腳力！」

「等下我到哪裡找你？」成蟜自知馬慢，絕對追趕不上，他連忙大聲問。

「上林那邊的出口處！」

話還未完，白馬已運足如飛，大跑起來。沒一會工夫，秦王政再回頭看時，已看不到成蟜人馬的身影。他哈哈大笑了起來。

他索性再兩足加緊催馬，在進入上林直道後也未放慢，白馬跑得性起，竟脫離直道，跑上樹林間的小徑。他開始時尚未注意，只當馬認識路，在找捷徑，但過了很大一會，才知道自己在林中迷了路，轉了好幾次，就是回復不到直道上去。

他下得馬來，牽著白馬緩慢的在林間走著，心中浮起一種難得獨處的愉悅。他想：

「這下眞是難得，將成蟜都擺脫掉了。」

當君王眞的沒有意思，時時刻刻都有人跟著，連睡覺門外都有人守著，只要他翻身重了點，或者是說了一句夢話，立刻有宮女來察看，日日夜夜，不管做什麼，總覺得有人在看著他，這和囚犯有什麼分別？只是少了副鎖鍊而已。

現在可好了，他再也沒有人跟著，就是在路上遇著人，別人也不知道他是誰，他可以在這裡隨便說什麼做什麼，也不會有呂不韋、太后來嘮叨，或是什麼御史又上一道奏簡，說什麼有失君王儀態。

想到唱，他眞的就大聲唱出來；想到要隨著高興做點什麼，他就放開馬的繮繩，讓白馬自己去吃草，他就在草地上打起滾來，滾得滿身都是泥土和草屑。滾累了，他就躺在一棵大樹腳下的盤根上面，仰視著參天枝椏間的藍天白雲，又大聲的唱起來。

這種味道眞好！難怪中隱老人說，天下最愚蠢的莫過於想當君王的人。君王日夜形神忙碌，睡不安寢，食不知味，擔心受怕都是爲了別人的事，而且是永遠有擔心不完的事。哪像一介平民，日出而作，日入而息，全家衣食溫飽，就沒有什麼可操心的了，要是單身一個，更是一個人飽，全家人都飽了。

想著唱著，他有點倦了，迷糊之中，他想起了成蟜還在等他。

「嗯，讓他去等吧，好不容易，多少次賽馬，他總算有一次先到！」

他不知睡了多久，也許只是一會工夫，可是他做了很多稀奇古怪的夢，直到有幾隻不知名的鳥，在附近樹枝上對著他噪叫，將他吵醒了。

看看太陽，已快近午，讓成蟜等得太久不好。

他吹口哨召來白馬，按著太陽的方位，牽著馬向上林出口走去。

8

時值暮春，上林桃花開得正盛。秦王政牽著馬，踏著小徑的繽紛落花而行，很快他頭上身上也灑滿各種顏色的桃花，使他不禁想起了邯鄲的那個小女孩，現在她應該是已嫁作人婦，也許都已兒女成群了。

想到那座爲桃花半遮的小樓，以及和桃花相映紅的女孩美麗的臉，他心中浮起一份惆悵，但也有著更多的神祕甜蜜。她常出現在他夢中，這個祕密只有他自己一個人知道，連成蟜他都不和他分享。

他牽馬信步走出上林，只見離和成蟜約定的出口，還間隔一段距離，卻發現到前面有一大片桃樹林，沿著樹林有道小河，一道拱形石橋直通進一處村莊。村莊不大，看上去只有十多戶人家，半隱半現的位於桃花林中。

秦王政看到茅草屋頂冒出的陣陣炊煙，才發現時已近午。他有點餓，口渴得更凶，他要吃乾糧，才想起乾糧和水都由隨從力士帶著，他將他們攆走，卻未想到將水和乾糧留下。好在他這身打扮，進村莊去討點水喝，別人絕不會想到他是擁有秦國一切的秦王。

他騎著馬走過石橋，在轉彎樹林深處又看到一戶人家，這家比較僻靜，不會因圍觀陌生人而有人認出他來。

他在這家門口下馬，只見竹籬裡面又是一片桃林，茅屋三間，石板鋪地，院子裡收拾得非常清爽，四周點綴著一些花圃，上面開放著五色繽紛的各種應季節的花。

他敲敲竹籬笆的門，應聲出來的是位絕色少婦。他搖搖頭，擦擦眼睛，懷疑自己又走入了夢境，邯鄲小紅樓上的故人竟又在眼前出現！她的臉和身材沒有太大的改變，只是更為嬌艷、成熟和豐滿。看樣子是已經嫁人了，因為她全身洋溢著少婦特有的韻味。

她穿著一身長袖拖地裙裝，秀髮捲高成髻，插著兩根鳥形玉笄，看樣子不像操作農事的村婦，但她怎麼會住到這種地方來？

「蓮姊，是妳？」秦王政欣喜的喊出來。

「你是……?」她打量他很久，才驚喜的叫出來：「你是小柱子！」

「你現在已長成大人了，不要怪我認不出你，十多年了，那時候你才這樣高。」她還用手比劃一下：「到裡面坐！」

屋內擺設簡單，但收拾得纖塵不染，佈置也十分雅致，看不到耕田用具，供祖宗牌位的神桌前面，卻掛著一把鏤金鑲玉的寶劍，像是武人世家。

她奉上香茶，陪著他聊了一會邯鄲往事，當他熱情的告訴她，她常會在他夢中出現，而剛才見到她，竟以爲又是另一個夢境時，她忍不住以袖掩唇，輕笑出聲。她又開著往日常開的玩笑：

「早知道你這樣喜歡我，我應該嫁給你的！」

「妳已經嫁了?」秦王政裝著吃驚的問：「怎麼會從邯鄲那麼遠的地方嫁到秦國來?眞的，那時候我們只顧著玩，連妳眞正的姓名和家世都不知道。」

「我對你還不是一樣!我姓公孫，單名一個玉字，蓮兒是我的小名。我原本就是咸陽人，到邯鄲只不過是住在姑媽家，姑父是在趙國朝中爲官的。我的丈夫姓嬴，名字叫得，是宗室也是世代官宦門第。公公多年前退隱，愛上這裡的風景，於是遷居到這裡。我丈夫是獨子，公婆在我未嫁過來以前就去世了。」

「尊夫現在做什麼？對妳好不好？」秦王政關心的問。

「哦，他在咸陽宮中任郎中之職，今天正好輪值，不在家。哪天我為你們介紹認識，我常在他面前提起你，他也覺得當時的我們很好玩，說很希望哪天能見到你。」

「也許我可以常常見到他。」想到嬴得在宮中任郎中，他的確是想見就隨時可以見到。

「他家和我家是世代通家之好，我們從小就玩在一起，當然對我很好。」她提到丈夫的好，臉上依然浮起少女的嬌羞。

不知為什麼，秦王政聽到丈夫對她很好，心中竟然會是欣慰和嫉妒交錯的感覺。

「你呢？你還沒有告訴我，你叫什麼名字？怎麼會來這裡？」

秦王政很快在心中下了決定——不能告訴她真話。於是他順口編了一個故事。

「我姓趙，名字叫賈，自小父母雙亡，在邯鄲街上賣瓜的是我祖父，現在我們住在咸陽城外。」

「他應該年紀很大了吧？現在還種得動瓜？」她問話的天真神情，依然是十多年來他夢中的那個小女孩。

「他已經做不動了，現在是由我在當家。」秦王政說著謊，內心多少有點愧疚：「我只是打打獵賣點錢，勉強夠我們祖孫度日。」

公孫玉用愛憐的眼神看著他，站起來走到他前面，就像在邯鄲時一樣，幫他拍打著剛才在地上打滾所留下的塵土，一面誠懇的勸告他：

「在上林偷獵，抓到是要處死刑的，你不怕？」

「爲了祖孫二人的生活，只得冒這個險了。」他裝著無奈的說。

「哪天我要嬴得幫你找點別的事情做，但是我怎麼找得到你？」

她依然如此善良，他眞不忍心再欺騙她，但爲了日後還能和她見面，這個謊還是得說下去。他說：

「我住的周圍很亂，不容易找，還是我來這裡好了。」

「你可以常來玩，方便的話，將令祖父也一起帶來，也許是因爲我常提起你們兩個，嬴得也常說希望見到你們祖孫。」

「我會的。」他這次說的是眞心話。

接著他們又不知不覺談到邯鄲那段日子，他們同時發現，那些日子中所發生的一些事，在他們記憶中保存得竟是如此完整，連有些小細節都歷歷在目。

他毫不忌諱的告訴她，他在心中對她所存的那份初戀的感覺；她也略帶羞澀的向他暗示，她當時感覺和他差不多。

談到中途，他空腹中的咕嚕聲音被她聽到了，她眞是心細如髮，連忙說：

「只顧著說話，竟連吃飯都忘記了，飯菜我都已準備好，拿出來就可以用了。」

她從廚房裡端出中餐，很普通的二菜一湯，但秦王政吃得津津有味，覺得比平日宮中的山珍海味可口多了。這一半是因爲肚子實在餓了，另一半原因則是她秀色可餐，殷勤佈菜勸飯，他越吃越有味。

飯後他自告奮勇，幫她到廚房裡洗碗，使他又回想到在邯鄲老人處受教，自行處理日常生活的情景。

快樂的時間易過，忙著、談著，才發現日頭已快偏西，這時他才想起成蟜還在上林出口處等他。

他依依不捨的向她告辭。在他要上馬時，她要他等一下，匆匆進入房中取出一小塊碎金塞進他手裡：

「天色不早了，你還是兩手空空，這點金子拿去，買點吃的給你老爹。」

秦王政沒有推辭就收下了，他感動得想哭，但也摻雜著惡作劇得逞的笑意。

在她連連「一定要常來玩」的叮囑聲中，他上馬急馳而去。他也在心中喊著：

「我一定會常來！」

在上林出口處找到成嶠時，他已餓得在一棵大樹下睡著了。

9

在太后的寢宮裡，燈光輝煌有如白晝，這是楚玉太后最大的愛好，她要求在晚上，所有的燈都要點上，臥室內不能有一點陰暗。

她另一個愛好是照鏡子。臥室內的四壁都嵌著一人高的大銅鏡。她喜歡站在室中央，在鏡影重疊、一影動百影隨之而動的幻境中，欣賞自己美好的胴體。

自從嫪毐假冒閹者進宮，隨時伺候在她身邊後，她又多了一種嗜好：她喜歡挨皮鞭。

她——有時還加上湘兒繡兒兩個——常在內寢將衣服脫光，要嫪毐也脫去衣服，只剩下一條犢鼻褌，然後用皮鞭抽她們。湘兒和繡兒常被抽得一條條的血痕，有時更痛得哭出聲來，但她在一旁觀賞，卻感到有種說不出的快感，內心的情慾之火燃燒得更爲旺盛。

至於抽到她身上時，那股又痛又辣的感覺，常使她流出眼淚，但所帶來的快感，卻是任何感覺都比不上的。

她喜歡看到嫪毐爲她駕車的那副雄姿，天神般的剛猛，卻配上一張俊秀的臉，風吹動他額前散髮的那股飄逸，常使得她有股想吻他的衝動。

但她更喜歡他只穿一條犢鼻褌遮住私處，手執皮鞭，全身塊狀肌肉一塊塊凸出的粗獷樣。此時他臉帶專橫，不再是穿上衣服時那樣恭順，而變成一個凶神惡煞。但他此時越折磨她，她越感到痛快。

她常在他揮動鞭子的時候，尖叫呻吟著說：

「你是我的主人，我是你的奴隸；你是我的牧人，我是你的羔羊！請命令我，我一切都屬於你。」

他鞭打她，折磨她，真的也從不手軟，就像一個橫暴的奴隸主。

可是穿上衣服後，他卻恭順卑屈，伺候她無微不至。譬如說，每次上下車，他都不用腳凳，而是用背部讓她踩著。每逢下雨後，路上有積水的地方，他都會脫下外衣，甚至用自己的身體當作踏腳石，讓她走過去。

床上，床下，穿衣服和不穿衣服時，他是矛盾完全不相同的兩個人，一個是奴隸主人，另一個卻是徹底卑順忠心的奴隸。

她對他這兩種極端相反的角色，全都愛得不得了，可說是到了上癮的地步，她已經非他不歡。

今晚，正當她赤裸裸的站在銅鏡前，舞動、旋轉、欣賞著自己胴體的時候，她看到嫪毒又赤裸著全身，手拿鞭子在她身後出現。

這次她沒有像往常那樣如母獸一樣，跪伏在地上讓他鞭打，而是嬌媚的向他笑著說：

「毒郎，今天不行，今後我們都不能再玩這種鞭打的遊戲了。」

「爲什麼？」嫪毒丟掉手上的鞭子，臉上凶狠的神情一下變成沮喪：「是否對我生厭了？呂相國要我進宮時，我就不願意，早就知道當別人的玩物，總會有玩厭的一天。我更明白，宮中的女人在被玩厭以後，最多是丟在冷宮不管，讓她們自生自滅，而冒充閹者入宮當玩物的，厭了以後，卻會屍骨無存！」

楚玉太后只微笑的看著他，默不作聲，似乎是鼓勵他的牢騷再發下去，她也喜歡看他沮喪和惶恐的表情。

「被私帶進宮的男人是什麼呢？他們還不如一條狗！狗死了，主人對牠還有份憐惜，還會懷念牠曾爲她帶來過歡笑或是慰藉，而這些男性玩物呢？主人會怕他們洩漏祕密，讓他們無聲無息的從世上消失！」

太后憐惜的看著這個身高九尺的魁梧男人，搖搖頭，溫柔的拉他坐下來，主動靠進他的懷裡說：

「毒郎，我承認你所說的有事實根據，偶爾在宮中，乃至各國宮中都發生過，但那不是我。在先王去世後，我沒有任何男人，只有你一個，而且我告訴你，我永遠不會厭倦你，反而是怕過不了多久，你會厭倦我，所以我要湘兒和繡兒都參加了我們的遊戲。」

說到這裡，她停下來，輕輕吻著他孩子般的臉，幽幽的說道：

「你看，你還這樣年輕，二十歲才出頭，我的頭上偶爾已會出現幾根白髮，眼角也有了皺紋，雖然要在陽光下才能看得到。只怕再過幾年，我變成老太婆時，你就會討厭我。」

「臣怎麼敢！」嫪毒一著急，奴隸的本性又顯露出來了：「臣只想終身服侍太后。」

太后搖搖頭，笑著說：

「閨房之中，不要來什麼臣啊、太后的這一套，將整個情調都弄沒了。」

嫪毒無語很久，太后附在他身邊說：

「你想知道為什麼我們不能再玩這種鞭打遊戲了嗎？」

嫪毒點點頭。

「我有了。」

「有了什麼？」

「有了孩子！怪不得人家說個兒大沒頭腦，你怎麼連女人說『有了』都聽不懂。」

「是我的孩子？」嫪毒索性裝得更傻。

「蠢驢，不是你的孩子，又是誰的孩子？」太后假裝生氣。

「不是我的孩子，是我們的孩子！」嫪毐又加了一句。

「不錯，我們的孩子，卻是見不得天日的孩子！」太后語氣中帶著悲哀。

「拿掉它！」嫪毐說：「這樣會將事情鬧大，寡居太后生子，怎麼向國人交代？」

「不！」太后站起來，對著銅鏡，看了看稍微突出的小腹：「不！絕不能拿掉，自從生了嬴政以後，多年來我都沒再嘗過做母親的喜悅，再說，打胎太危險，說不定命都會送掉。」

「那該怎麼辦呢？」嫪毐一副焦急的可憐相。

「看你急成這個樣子，你不要忘記我是掌握全國大權的太后！」

她對著銅鏡，挺了挺高聳美麗的胸部，自言自語的說：

「我是太后，生的孩子不是王就是侯，我不能讓這個孩子的父親只是一個假冒閹者的宦人！」

10

儘管呂不韋極力反對，但拗不過太后的堅持，由太后以秦王的名義封嫪毐爲長信侯，封國爲山陽地區。

這個消息傳出，全國大譁，宗室大臣紛紛上奏反對，御史大夫更提出，按秦律宗室非軍功不得封爵，何況是一個伺候太后的寺人。

但嫪毒封侯的事根本沒經過討論，詔封書已下達和公佈，誰也不敢說要秦王收回成命，全國所有的土地都是王土，所有的秦人都是王臣，君王要分點土地給什麼人，要什麼人做什麼官封什麼爵，那是君王自己的事，從來也沒有討論過的先例。何況秦律並未規定，閹者不能封侯。

呂不韋以成事不諫的道理，分別將那些反對的大臣一一安撫說服，說服的工作他做得好辛苦。

他也沒想到太后竟是這樣敢作敢爲，而且一出手就是這樣大手筆，想到這件事的時候，也只有感嘆：

「在戀愛中的女人眞是瘋狂！」

太后不顧一切反對和輿論，爲嫪毒在山陽大興土木，宮殿規模、車馬、服具、林苑，全與咸陽宮同，其內部的奢侈豪華更有過之而無不及。

另方面，太后有天晚上突然做了個夢，夢見自己站立一處山頂，周圍烏雲密佈，突然間雷雨交加，將她驚醒過來。

次日召太卜來問，太卜解夢說，山頂表示太后所居的甘泉宮，烏雲密佈表示有憂心病患之事，所以應暫時移離咸陽。

於是太后將整個甘泉宮人員全遷移到雍地的大鄭宮。

嫪毒當然隨侍在側，大鄭宮的事，不管大小也完全交由嫪毒決定。

嫪毒初嘗權力滋味，一心一意學呂不韋的榜樣，呂不韋是文信侯，他是長信侯，學呂不韋的樣，誰能說不恰當？誰敢說他學不像？

於是他廣招門客，人數也達千餘人。不過呂不韋門客中多博學多才之士，而他的門客中，十之八九都是遊俠博徒之流。呂不韋無事是和門客談論天下大事，或者是清談天文地理修身養性；嫪毒的門客則是鬥雞走狗，賽馬賭博，日夜歌舞荒淫，更是不在話下。

他另養有家僮數千人，並且加以軍陣訓練，按軍隊編制操演，儼然是一支小私人軍隊。

他和太后都專心等著孩子出世，在兩情最熱的時候，太后甚至會喃喃道出：

「毒郎，嬴政不聽我的話，常違背我的心意，等我們的孩子出世後，我們想法將嬴政廢掉，改立我們的孩子！」

嫪毒也積極往這方面作準備。

11

至於被假借名義封嫪毒的秦王政，在得知嫪毒封侯的事情，先是跳腳大怒，口口聲聲說是要向大臣否認這項封命，但隨即他就想到老人的話，他冷靜下來，不斷告訴自己：

「你能忍受的！你能忍受的！」

結果是他眞的覺得，這種事並不像最初他所感到的那樣不能忍受，太后是他母親，父親不在，她就是一家之主，拿點家裡的東西賞給家奴，她有什麼作不得主的？

最主要的是他自己也在談戀愛，在戀愛中的人，除了戀愛的對象外，其他一切事情都沒有什麼重要。

他召見了公孫玉的丈夫嬴得。

一個相當俊秀的年輕宗室子弟，看上去和公孫玉很配。秦王政給了他不少賞賜，並升他爲郎中右令，掌管秦王內宿警衛。意外的賞賜和晉升，使得這位年輕郎官感激得流出眼淚來。

其實秦王政做這些都是爲了自己，方便他去看公孫玉。他交代郎中令，嬴得專負責白晝警衛，晚上不必留宿當值。這樣一來，他去看公孫玉，永遠不會和嬴得碰面，而晚間公孫玉也不會寂寞。

於是，幾乎是每天早朝一完，他就勁身獵裝，單人匹馬前往公孫玉家，他不告訴任何人，連成嶠都不知道，他要獨享這個祕密。

每次他去，其實也沒做什麼，他只是坐在一旁看她忙著織布，偶爾交談幾句。看到她談起丈夫近日升官，得到秦王賞識時的興奮模樣，滿臉都散發著喜悅的光輝，他也就分享了她的快樂。

「這下可好了，」她一邊投著機梭，一邊說：「嬴得每晚都可以回家吃晚飯，不然，說老實話，有時他要輪値留宿，晚上一個人眞的有點害怕。只是秦王爲什麼會這樣賞識他？」

「君王的事很難說，」秦王政裝得若無其事的說：「也許是因爲嬴哥平日工作努力，表現得好；也許是秦王認爲他有才華而欣賞他；也許什麼都不是，那天他心情好，隨便抓個人來賞賜一下。」

「你哪來這麼多的『也許？』」她望著他輕笑：「你的嬴哥的確是個人才，不但外表過得去，而且書也讀得很多，除了執行公務以外，他總是冊不離手的。」

「哦！」他爲她高興，卻又爲自己難過，老人的話眞的不錯，做個普通平民，有個愛你的妻子，比生在帝王家，爲了權力，父子不和，手足相殘，互相勾心鬥角，要來得快樂！

「眞的，」她忽然想起什麼似的，停下機杼說：「你來這多次都未見到過嬴得，哪天你來吃晚飯，他一定會在家的。」

「不行，老爹年紀大了，身體不好，我晚上不敢外出。」秦王政支支吾吾的連忙推辭。

「我常和他提到你，他也很想見見你。」她又說。

「最好不要在他面前提到我。」他不禁冒出這句話來。

「爲什麼？」她先是驚詫，接著似乎明白了，她坦然微笑的說道：「他人很好，心胸沒有那麼狹窄。」

「男人的事很難說，」秦王搖搖頭：「總之，妳想我常來看妳，就少在他面前提到我！」

她不解的注視他很久，沒說什麼又回到織布上去。

和往常一樣，他留下吃中飯，飯後幫她洗好碗，就告辭回去，不到半日的相處，滋味比什麼都好，他感到無上的滿足。

這樣比什麼都好！他常想，他大可以公開身份，甚至召公孫玉入宮任職，他就能天天時時看得到她，但那樣他就會失去這樣平等交往和等待不可知的樂趣。

臨走的時候，和經常的那樣，她會塞點錢在他口袋裡——老爹老了，身體不好，需要吃好點，秦王最近常有賞賜，他們的經濟狀況寬裕得太多。

他默默接受，回宮以後再找藉口，百倍甚至千倍的償還給嬴得。

這是他自認一生中最快樂的一段插曲，每天都有期待，每天都有滿足，卻沒有強烈佔有的慾望，也就沒有患得患失的痛苦。

世俗的人是否都和他一樣的看法呢？這就很難說了，但他決定，他不管這麼多！

手足相殘

1

秦王政七年正月，彗星先出東方，再現北方。

太史啓奏：彗星在日旁，主子殺父，弟犯兄；現北方則主刀兵。

秦王政置之一笑，他既無父可殺，相信成蟜也不會犯他。

五月，彗星見西方，軍中使者來報，將軍蒙驁急病死於軍中，相國呂不韋建議暫時退兵河內，秦王准奏。秦軍還師，順道攻下汲城。

五月十六日，彗星復現西方。

莊襄王生母夏太后死。

夏太后因非正室，不得與孝文王會葬，單獨葬在杜原東方，莊襄王則早死，葬在芷陽。

故夏太后生前指定及建築陵墓時就曾說過：

「東望吾子，西望吾夫，後百年，吾墓旁將有萬家城市出現。」

幾十年後，杜原果成大城。

夏太后盛大的葬禮過去以後，秦王政又開始享受他那份獨有的祕密快樂。他往桃源莊去得更勤了。

2

祖母的死，再加上朝中的政爭，使得他非常憂鬱，只有在公孫玉處才能完全擺脫煩惱，過幾個時辰普通人的生活。

等夏太后下葬，守喪三月期滿以後，時間已値冬季臘月（十二月），掌管禮儀的奉常和掌宗室事務的宗正聯合上奏，秦王政和公子成蟜都將年屆二十，應該準備行冠禮了，他們並選定明年正月正日（初一）午時爲舉行冠禮最佳吉日良時。

但奏簡呈到相國呂不韋那裡就打了回票，他批駁的理由是：周禮男子二十而冠，乃是按照實足年齡滿二十計算。他更找出那些當過他門客而經他引薦入朝當博士的官員，紛紛引經據典力爭，這次行冠禮的事就此打消。有些宗室大臣直接上奏秦王政，他內心雖充滿憤怨，表面卻微笑著說：

「先前多少年來，也許大家都錯了，照相國所議好了。」

朝中有些耿直卻不明利害的大臣又紛紛上奏，要求秦王親政，相國呂不韋將這些人找來責備了一頓，他說：

「各位這個請求是什麼意思？主上現在不是凡事都親自批答嗎？丞相總領百官，就各位上奏擬定批答建議，讓主上選擇，或是作另外批覆，這也是我的職責，各位爲什麼要懷疑是我獨攬大權呢？」

這些大臣明知道他是強辭奪理，但一時還找不出話來駁他，只落得個啞口無言，面面相覷。

最後呂不韋自己又打圓場說：

「也許等到主上行冠禮以後，我就不會再替他擬批答，一切政務交由他自己去辦了。」

大家一想，再等一年是沒有關係的，只不過臨時他又要玩什麼花樣，就沒人知道了。

有人向秦王政祕密啓奏，他只笑了笑說：

「呂相國能者多勞，就讓他多辛苦點，不要去煩他！」

秦王政這種莫測高深的態度，有人認爲他懦弱，有人判斷他是屬於「不飛則已，一飛沖天」的君王類型。但他自己知道，他是在忍，尤其是有桃源莊這樣一個找得到慰藉的地方，目前再大的煩惱和痛苦，他都能忍受得了。

於是，只要他感到心中煩躁，忍無可忍的時候，他就往公孫玉處跑，只要聽到她柔和而清脆的聲音，他的一切煩惱都丟開了；只要看到她欲語還笑的嬌靨，他就覺得世界是如此美好，除此以外的事物，只不過是一些雜音和干擾，不值得去在意，只要不在意，還有什麼要忍不忍的！

可是他不知道，他利用別人的家當作阻止煩惱的城堡，利用別人的妻子來做慰藉的工具，雖然也沒做什麼逾矩的事，別人是否能忍受得了呢？

時間久了，成蟜也發現他的異狀，尤其是夏太后去世，成蟜在自居的宮中待不住，下朝後又常找不到他，爲了好奇，他跟蹤過他幾次，發現到這個祕密。但他從未問過秦王政，也沒去過桃源莊裡面，王兄有個什麼情婦類的女人養在那裡，不值得大驚小怪，只是覺得這樣太危險。他常會在秦王政走後，帶著四個力士護衛在上林中等候，看到秦王政安全回來，進入上林回宮，他再打發走四個力士。他對他們所下的禁令是：

「全力保護主上的安全，但不要讓主上知道你們在跟隨護駕，違者死！」

3

那天，時值歲尾，前幾天下了好大的一場雪，整個大地萬物全是一片白皚皚的。上林直道兩旁的參天古木，枝椏全壓滿了雪，沉重的下垂，就像站立在路旁的白髮白鬚、彎腰駝背的老人。上林直道一直有專人整理，雪剛停，就已將雪剷推到路兩邊去了。

久雪放晴，正中稍偏西的太陽，在萬里無雲的高空普照，天空是帶著金色的藍，地面白得發光，空氣中彌漫著雪後特有的清新。

秦王政剛從桃源莊回來，心情特別的好。他穿著一套貂皮短勁獵裝，外面卻套著破舊的夾衣褲，他需要保暖，卻又不能讓公孫玉看出他的底細。頭上的水獺皮也弄得髒兮兮的，猛看上去好像是狗皮做的。

她還眞被瞞過去了，整整瞞瞞了近兩年！他不能不佩服自已裝假得到家。

他告訴她過年要照顧老爹，恐怕會有很長一段時間不能來看她。其實是過年前後，他要祭天拜地、祀祖、大臣朝賀、春宴群臣等等，不過了正月，他眞的抽不出身來。

他喜歡看到她眼中那股依戀和失望的神情。

臨行前，她又塞了一點金子在她口袋裡，還取出一件新裁製的羊羔皮袍，她說：

「將你這套又舊又髒的衣服脫掉，現在就穿上去！」

他怕露出裡面的貂皮獵裝，只得裝著捨不得穿的樣子，用臉偎著柔軟的袍毛說：

「等回去弄乾淨身子以後再穿，我從來沒穿過這樣暖的袍子。」

的確，這件皮袍給他的溫暖，是他從來未享受過的。

「還是試試的好，我沒給你量身做的，回去又沒有人給你修改。」她堅持要他試穿。

他卻笑著將皮袍塞在獵物袋裡，上馬急馳而去。

「過年後我再來看妳！」他回過頭來喊。

現在他讓馬在直道上走步而行，馬蹄在青石板上發出清脆的踢咯聲，他心中那股溫馨猶存。雖然要過年後才能再見到她，但等得越久，希望不是越濃麼？

忽然「嗖」的一聲，一支強弩箭由他耳邊穿過，接著是「嗖！嗖！嗖！」接連數支箭迎面飛來。

他拔出獵刀舞動，揮下幾支箭去，兩腿一夾，白馬長嘶一聲，放開四蹄向前飛奔。他冷靜下判斷，弩箭是從前後兩面射來，白馬在直道上奔馳，目標太明顯，他應該轉到道邊樹林中去。正當他剛起此念，只見白馬長嘶人立，原來道中間拉有一條絆馬索，寶馬性靈，緊急刹住，不再往前衝。但在白馬人立的頃刻間，又是幾支弩箭，分別射進馬腹和馬頸，有一支箭正穿透馬頸的大動脈，馬慘叫一聲，斜倒下去，鮮血泉水般湧了出來，還冒著熱氣，好在他跳得快，才未被壓在馬身下，但右腳已扭了筋，行動大爲不便。馬則是悲鳴幾聲，用哀傷的眼神瞪著他，激烈的抽搐幾下就斷了氣。

他跛瘸的躲進一處雪堆後面，只見左右各有三個身上反穿皮衣，手執利劍的蒙面人，包抄搜索過來，原來他們就躲在路的雪堆後面，皮毛向外，與雪地一點都分辨不出來。

秦王政心中暗暗叫苦，但想起老人的話——君王即使是死，也要死得像個君王。他執著獵刀站立，凝神屏息以待，一副凜然不可侵犯的神態。

「他在那邊！」左邊有一個蒙面人說：「我們上！」

「看他那麼沉著的樣子，好像是有埋伏，他出門不會不帶護衛！」另一個蒙面人說。

「我早四周偵察過，沒看到什麼人。」右面一個蒙面人接話。

兩組人已合圍，縮小了包圍圈，彼此間說話都已聽得見。

「上，不管那麼多，上！」右邊另一個看上去像是指揮者的蒙面人大叫。

兩面六個人快奔衝了過來，手上利劍在陽光下發出懾人的光亮。

正在此時，背後樹林中衝出五匹快馬，也是一色白色勁裝，手執騎兵專用的短戟，全都以白絹蒙著臉。這些人馬分從前批蒙面人的背後發動攻擊，來回幾個衝殺，六個蒙面人全部倒臥在血泊中。

這些蒙面騎者在殺完人後，就像來時一樣神出鬼沒，其中一人留下乘馬，跳上另一個人馬上，頃刻間又消失在樹林中。

秦王政很想知道這些襲擊他的人是誰，他沒有去牽馬，反而是用獵刀挑開一個個蒙面人的面紗察看，前五個，他一個都不認識，他搖搖頭，苦笑著想：

「當然都是些不認識的，他們不會傻得找熟人來行刺君王！但他們爲了什麼要殺我？」

4

「是你！」他挑開第六個蒙面人的面紗，發現到他身上有幾處創傷，竟然還活著，而且是他熟得不能再熟的人：「嬴得，是你！」

「嬴政，不要多話，補我一刀！」他說話吃力，眼睛裡卻充滿了怒火。

「嬴得，你爲什麼想殺我？」

「你自己心裡明白！」

「我沒有什麼對不起你的事，而且平日我對你不錯。」嬴政口口聲聲稱「我」而不稱「寡人」，表示眼前他是以同等地位在和嬴得說話。

「我承認你對我很好，但你可知道，你對我的賞賜越多，我內心的屈辱越重？」

「爲什麼？」

「爲什麼？一個男人靠妻子去巴結君主，他內心會有什麼感受！」嬴得喘著氣說，他肺部中戟，血沫由嘴角滲了出來。

「很多人想都想不到。」嬴政諷刺的笑著說。

「那不是我！」嬴得咬牙切齒，兩眼冒火：「只有你的……」

「我的什麼？」秦王政好奇的問。

「我不像你這樣陰險惡毒，我不說。」嬴得搖搖頭。

「說！我的什麼？」嬴政頑強的脾氣又發了：「嬴得，你應該知道，行刺主上，乃是滅三族之罪，不是你可以一死了之的！」

嬴得先是臉上露出些微惶恐，但緊接著他閉上眼睛，一副坦然無懼的樣子：

「事情已經做了，我也管不了這許多了！」

「爲什麼？嬴得，爲什麼你要這樣愚蠢？眞的，我和玉姊沒有做對不起你的事，我們只是像姊弟一樣！」

「我相信我的妻子，相信你們沒做下什麼苟且之事，但你們之間絕不只是姊弟之情！」

「你怎麼知道？」嬴政對他的話感到莫大興趣，能知道公孫玉內心對他的感覺，他總是有興趣的。

「一個愛自己妻子的丈夫，總是最能明白妻子心意的人，由她的一舉一動，我都看得出來她在想些什麼。你們之間不但逾越了姊弟之情，而且連我和她之間的夫妻之情都超過了。」

「你由什麼地方看出來的？」

「只要你隔幾天沒去，她就會變得失魂落魄似的，好幾次我還聽到她在夢中喊你的名字，當然我知道那個假名字就是你！」

「這從何說起？」嬴政半無奈半欣慰的說。

「假若你用君王的權勢和榮華威逼她、引誘她做下些什麼，我不會這樣恨你！」

「為什麼？」

「羨慕富貴是一般女人的天性，但她不是，你在她面前裝得如此窮困，她依然將心完全放在你身上，這比和你做下苟且之事，更教我覺得屈辱，覺得自己一無是處。」

「唉！」嬴政長長的嘆了一口氣：「想不到我認為這樣純潔的事，還是會傷害到別人！」

「純不純潔，要別人來做評論。」嬴得說話已顯得斷斷續續，顯然是活不久了。

「不談這些了，」嬴政俯下身體就聽到他肺部的嘶嘶聲：「告訴我，臨死前你還有什麼交代？」

「交代？你……不滅……我……的三族？」

「怎麼會？看在玉姊的面上也不會！」嬴政有點愧疚的說。

「我……不……會……感激……你的！」一聽他提到他妻子，他臉上又顯出憤恨。

「我們是弟兄，都是秦孝公的子孫，只是我的運氣好一點。」嬴政愧疚的說：「我知道該怎麼做，你放心的走吧。」

「你不是，我……恨……」底下的「你」字還未說完，嬴得頭一偏，隨即斷了氣，臉上卻帶著一種詭異的笑容。

「我不是？我不是什麼？我不是秦孝公的子孫？」嬴政笑笑又搖搖頭。看著周圍幾具屍首，皺了皺眉，自言自言的說：

「還是讓咸陽城尉來處理吧！」

他帶著那塊沾了血的蒙面布騎上馬，頭也不回的走了。

5

嬴得的事處理得非常順利。咸陽城尉的判決爲他上林遇盜被殺，而另外找不出身份的蒙面人屍體，則當作盜匪處理掉了。這些都是二十多歲的年輕人，也許他們全是嬴得找來的遊俠少年，也許是他們的親人不敢出面相認，因爲按照秦律連坐法，窩藏盜匪或知情不報，與盜匪同罪。

秦王政下詔厚葬嬴得，除按因公殉職寬加撫恤外，並追贈郎中令，但嬴得年少無子，這項追贈沒有什麼實質上的好處。另外，秦王更恩賜了不少財物，以褒獎嬴得注意王宮內外安全的功勞。

秦王政對嬴得的死，一則以喜，一則多少有點愧疚。喜的是今後他看玉姊不再有阻礙；愧疚的是，爲了一己的自私，卻讓她這樣年輕就守寡。

想到守寡，他心裡猛然一驚，才想到公孫玉如此年輕，又無子女，恐怕短期內嫁人是免不了的，以後再想見她，可能性更小了。爲了他想見她，已經喪失了六條人命，不能讓類似的事情再發生了。

他一再的考慮，終於作了決定——

將她納入後宮，或是幫她擇配，以蔭顧遺孀的名義，將她嫁到他隨時都可見到的地方，嫁給不像嬴得這樣頑強愚蠢的人。

在忙完過年前後的政務和私務後，有一天他召見了公孫玉。

召見的地點選在內宮便殿，在她行完朝見禮後，還特准她上殿賜座對話。

當他見到她上殿坐下以後，首次抬頭看清他時，眼中所流露的驚詫神情，他不禁暗笑，其中更夾雜著不少得意。

「公孫玉，」他語氣嚴肅的問：「妳見了寡人，爲什麼露出驚詫表情？」

「臣妾不敢說。」公孫玉低著頭回答。

「但說無妨。」

「大王看來很面熟，很像臣妾的一位故人。」她臉仍低著。

「哦，天下人相像的很多，沒有什麼奇怪的。」他微笑著說。

接著他問了一些有關嬴得喪葬的事，公孫玉都很有條理的回答了。最後他拉上了正題。

「公孫玉，你今年幾歲了？」

「廿五了。」

「那還年輕得很，又無子女，不應守節，讓寡人在群臣或宗室優秀子弟中，爲妳選一個人嫁了！」他半開玩笑半認眞的說。

這時只見公孫玉避席俯身在地，聲音哽咽的說：

「先夫嬴得屍骨未寒，不忍言此！」

「那以後再說吧。」見到她淚流滿臉的淒楚相，他心中有著無限憐惜，不忍再逼她。

「臣妾以後也不願再談此事。」公孫玉似乎已認定他就是趙賈，語氣強硬而充滿暗示：

「嬴得生前和臣妾感情極好，生既不能白首偕老，死亦願同墳同穴！」

秦王政不敢再說下去，不然要是來個自殺殉夫的，他愛她反而害了她。

「人各有志，」他嘆了口氣說：「寡人就不提這件事了。」

「謝大王成全。」她又再行禮。

「請起回座說話，」秦王政等她坐好，又想了很大一會，才開口說：「嬴得深諳兵法，並且好學不倦，寡人正期待他日能加重用，想不到會出這種事，寡人也痛惜失去了一個人才。」

「謝大王謬讚。」

「對了，」他乘機又說：「聽聞妳出身書香世家，本人又飽讀詩書，通曉百家，再加上一雙巧手，織出的絹布人人稱讚。」

「大王是聽誰說的？」她用的是詰問口氣，暗示她明白他在打什麼主意。

「哦，聽聞就是聽聞，也就不要管是誰說的了。」他微笑著說。

他對她的頂撞不怒反笑，引起侍立一旁的史官和侍中的震驚，這不像平日動則暴怒的秦王。但這些近侍更怕的是，烏雲透出陽光後，接著是雷電交加的暴風雨，秦王政就有在微笑中處死犯過內侍的紀錄。

他們中間有很多人是嬴得生前的私交，他們爲他這位遺孀著急，可是無法施以援手。

「這樣好了，妳一個人既不再嫁，」秦王政沉吟了一會說：「婆家又沒有人，再加上妳不願回娘家住，那就進宮來，教導宮人詩書，並督促她們紡織。」

「……」公孫玉垂頭沉默。

秦王政一直在注意她的反應，卻看不出她是否願意，他心一横——既然妳不表示意見，乾脆以王命來命妳進宮，先嘆口氣說：

「寡人有鑒於全國百姓男耕女織，終年辛勞不休，荒年仍有患飢受凍之苦；而宮中這樣多的男女，眾多人服侍少數幾個人，平日錦衣玉食，無所事事，奸邪由此而生。寡人的一個想法是，宮中郎中、侍中除了服份內勤務外，應多加操練軍陣武事，宮人則應規定日織多少布，讓他們也體會一下行伍中兵卒和民間婦女的辛苦，寡人亦將帶頭耕織！」

「大王這個想法極合『天視自我民視，天聽自我民聽』的治國大道。」公孫玉忍不住讚美他幾句。

「公孫玉，既然妳贊成寡人的想法，妳又有一雙紡織巧手，就進宮來在這方面幫寡人的忙吧！」

他還不等公孫玉回話，就沉喝道：

「左史。」

侍立在一旁的左史向前行禮。

「將寡人剛才的話記下來，作為宮中今後的制度。」

「是。」左史退到一旁。

「侍中。」秦王政又喊。

「臣在。」侍立一旁的侍中向前行禮。

「準備各項迎接嬴夫人進宮事宜。」

「是，臣遵命。」侍中退下。

「寡人封妳個什麼官職才恰當？」秦王政沉吟。

「大王，臣妾……」公孫玉還想反對。

可是秦王政沒有等她將話說完，就用命令的語氣說：「任何官職都不適合妳，只歡迎妳入宮裏助寡人，妳就稱爲公孫大家（姑）好了。」

這還有什好說的，她只有上前謝恩。

秦王政將這件事辦好了，感到說不出的輕鬆，他不必再擔心她一個人在外孤苦伶仃，受人欺侮，而且今後他只要想見她，只要藉口去看宮女紡織，就可隨時見到她。

只有一件事他耿耿於懷，那就是那天不知誰救了他。他必須查明，這表示他和公孫玉的事已經洩漏出去，不然不會這樣湊巧，而且看那幾個人的凌厲身手，很像宮中受過嚴格短距離搏鬥護衛訓練的高手。

他懷疑是成蟜，但成蟜從不提起那天的事，他也只有放在心裡。

6

秦王政八年，上黨郡原屬趙國六城復反歸趙，並殺害秦所派地方首長。相國呂不韋建議長安君成蟜率兵征伐，秦王政准其所議，派精兵十萬由成蟜爲將伐趙，原有上黨前線軍隊，亦交由成蟜統一指揮。

成蟜軍的戰鬥序列編組是——

將軍：長安君成蟜

裨將：大良造嬴和

前軍——

都尉：宮大夫秦敢

右尉：五大夫嬴準

兵力：步卒兩萬，戰車百乘，隨伴步卒四千人，騎兵一萬。

中軍——

都尉：右更趙成

右尉：五大夫嬴悅

兵力：步卒三萬，戰車兩百乘，隨伴步卒八千人，騎兵兩萬。

後軍——

都尉：少良造司馬疾

右尉：公大夫嚴重

兵力：步卒一萬，戰車兩百乘，隨伴步卒八千人，騎兵五千。

輜糧軍——

都尉：五大夫呂直

右尉：公乘公孫錯

出發前在車城外大閱兵。

前後三軍中的中軍，又細分爲左、右、中三軍，分別按步隊、騎隊、戰車隊和輜糧隊排列。

黑色旌旗是步卒，攜帶的武器是強弓勁弩、戈、戟、殳、干，身佩短刀或是利劍。步卒也是一身黑色勁裝。

紅色旌旗是騎兵，這是秦國新發展的兵種，訓練完全是採取胡人方式，很多教練和軍官都是歸化胡人。這些騎兵部隊稱得上神出鬼沒，衝鋒陷陣有如急風暴雨，使敵措手不及；可搜索敵情及追擊殘敵，又可遠離本軍，行動飄忽，使敵無從捉摸。

戰車隊則是用黃色旌旗，眞的是堅甲強兵，攻擊敵陣，橫衝直撞，有如摧枯拉朽。

輜糧隊全數用白色旌旗，又細分爲人力輸送隊、船運隊及獸力運輸隊、護運隊。除中堅主力外，其餘是由民間徵集。

十萬部隊集合在大校場中，連一絲聲息都沒有，只見各色旗幟在風中翻飛，盔甲鮮明，在陽光下閃閃發亮。

成蟜帶銅盔，全身甲冑，陪著秦王政閱兵，眾文武大臣策馬跟隨，所到處響起一片萬歲聲。

閱兵完畢後，秦王政親手解下腰懸的尙方軍令劍，大聲向場中士卒宣佈：

「將軍此去，責任重大，特賜此劍，以示託付，國以內寡人治之，國以外由將軍決定一切！」

說罷以劍連擊成蟜座車三次，然後雙手遞交成蟜。成蟜行過軍禮，雙手接過，帶領三軍高呼萬歲。

秦王政和成蟜攜手登上特製轀輬車，絕塵而去。

部隊則回營地休息用飯，按計劃出發。

7

正午，秦王政和呂相國設宴灞上長亭，爲成蟜將軍送行，由各文武大臣相陪。在飲宴中，秦王有點不放心的問呂相國說：

「此次作戰，糧秣和後勤補給上是否準備充份？」

「應該是沒有什麼問題，各地都設有糧倉和兵站，補給足夠。雖然上黨地區去年收成不好，民間鬧饑荒，但軍用糧倉貯藏甚豐，尤其是屯留和蒲鶮兩地，趙軍糧倉堆積甚豐。」

「因糧於敵，原則上是不錯的，但在敵手的敵糧，不可知的變化太大，不能列入我軍本身，需要考慮。」

「大王英明，老臣只是提醒長安君注意這點罷了，並未將這批糧食計算在作戰計劃之內。」

「賢弟，你初次率領大軍作戰，所謂大軍未動，糧草先行，後勤補給仲父雖有萬全的準備，但你自己也要多加留意，尤其是上黨地區幾個城市，反反覆覆，民心並不向我。」秦王政轉向成蟜說。

「王兄請放心，你的訓示，臣會銘記於心。」成蟜意氣風發的說。

多年研習兵法，如今才有實用機會，他是早就躍躍欲試了。

「嬴將軍，」秦王政又舉杯囑託大良造嬴和說：「王弟沒有實戰經驗，一切還請將軍多加照顧，將軍追隨蒙驁將軍南征東討，身經百戰，寡人是相信得過的。」

嬴和為宗室人員，十六歲從軍，今年已四十五歲。他身材魁梧，方口隆鼻，濃眉大眼，留有一臉絡腮鬍，相貌極為勇猛。他追隨蒙驁多年，自蒙驁死後，多不得意，也是屬於反呂不韋的宗室派。

「臣不敢，」他連忙長跪舉杯祝秦王政說：「此次攻趙，臣敢保證，必將全力輔佐長安君重定上黨，只是糧秣及兵員補充有待相國的操心。」

「嬴將軍這點請放心。」呂不韋也舉杯回敬。

祖道宴畢，秦王政命群臣散去，不必侍候，他攜著成蟜的手，走上高處一座涼亭內。只見遠處群山翠綠，長河如帶，偏西的夕陽灑照在山坡，染上一片金黃，他不覺動了依依惜別之情。他感嘆的對成蟜說：

「祖父孝文王兒子嫌多，寡人兄弟卻恨太少。這次呂相國建議賢弟領軍，寡人是不太贊成的，但他言道，上黨趙軍軍力薄弱，不足爲懼，只要我大軍一到，必可如湯潑雪，很快平定。同時賢弟和寡人都行冠禮在即，等到賢弟建立這次功勳後，正好名正言順加封。」

「這是呂相國的美意，臣弟心領了。」不知爲什麼成蟜總感覺得到，呂不韋對他不存好意，但如何不好法，他卻說不出來。

昨晚他曾到老人處辭行，老人沒說什麼，只告誡他，行軍作戰要注意後勤補給，設法因敵而食，不能太依賴後方。他聽得出老人話中有話，卻又想不出所以然來。

但這些懷疑很快就被他強烈想建奇功的企圖心排除掉了。獨當一面，揚名天下，這不是他自幼就夢寐以求的嗎？

「賢弟此次平定上黨以後，是願意封居當地，還是回國輔助寡人？」秦王政突然發問。

「王兄問此話是什麼意思？」成蟜不解反問：「王兄喜歡臣弟怎樣就怎樣。」

「還是回來輔助寡人的好，呂相國太過專權，早已引起一般宗室大臣不滿，寡人預料，我要親政還得經過一番奮鬥，才能眞正掌有實權。」

「臣弟這次征伐一完，必會很快回來。」

「兄弟同心，其利斷金，父王生前授權呂不韋太多，如今他的勢力遍植朝野上下，加上蒙驁、王齮這般重臣又前後凋謝，寡人未親政，只是素食尸位，恐怕親政後，仍只是個簽押蓋璽的傀儡！」

「王兄爲何悲觀懷疑到這種程度？」成蟜驚問。

「不是悲觀，也不是懷疑，你可知道，這次嫪毒封侯，你的領兵伐趙，全都是他和太后商議定案，才交由寡人用璽！」秦王政恨恨的說。

「啊！」成蟜驚呼出聲，但他隨即安慰秦王政說：「目前如此，王兄親政後自當改變。」

「賢弟注意，目前領軍者多半是呂不韋的人，這十萬精兵的將校則多爲宗室人員，呂不韋也許是想將這股軍力消耗或長駐在國外，所以你要盡量保持實力，早日班師回朝。依寡人的判斷，要想確實掌握政權，還有一番曲折。」

「王兄也許是多慮了，」成蟜嘆口氣說：「不過臣弟我總是站在你這邊的。」

「記住你今天這句話！」秦王政也嘆口氣說：「爭權奪利眞是可怕，古來父殺子，子弒父，兄弟相殘，可說是史不絕書。」

「臣弟相信我們之間不會這樣。」成蟜說。

「回宮吧，本來在賢弟出師之際，寡人不應講這些話，但用意在要賢弟提高警覺。」

兩人又攜手下得高處，乘車回宮，臨行前還有一次御前會議。

8

成蟜率領十萬大軍，兵分兩路攻趙，以平定上黨反叛。一軍由前軍都尉宮大夫秦敢率領攻蒲鶮，一軍由成蟜本人領軍攻屯留，兩路進攻，互成犄角之勢。

秦敢攻蒲鶮還經過一番辛苦，而成蟜大軍直入，未遭遇任何抵抗。等到進入屯留城，才發現竟是一座空城，精壯男子皆已撤走，只留下一些老弱婦孺，而糧倉也是搬運一空。趙軍這次撤退，採取的是堅壁清野戰術，田裡的農作物能收割的收割掉，來不及收割的就放一把火；能徵作軍用的騾馬牲口以及能食用的家畜，全都帶走或收藏起來。

成蟜及嬴和開始還想因糧於敵，但派軍隊搜查的結果，不但搜不出糧食，那些老弱婦孺反而伸手問秦軍要吃的，而原有秦國派出的地方官吏，不是被趙軍所殺，就是俘擄走了，民間行政系統整個形成眞空。成蟜不得不重新建立軍政府，但找不到當地人出任，只有派秦軍人員兼代，民眾之間糾紛因之大增，軍民之間各種事件也層出不窮。

就在此時，趙、魏、楚三國暗中又軍事合作，不斷派出小部隊騷擾秦軍的補給線，能夠抵達前方的軍用物資越來越減少，越來越困難。

再加上趙國的騎兵加緊實施游擊戰，專事攻擊秦軍的小部隊和後勤設施，弄得秦軍風聲鶴唳，草木皆兵，不得不加派兵力警衛，因此弄得兵力分散，處處都得設防。

趙國騎兵自趙靈王改制，穿胡服、習胡射後，已成爲諸國中第一流的騎兵部隊，這次更發揮了它的奇襲和行動靈活的特長，使得秦軍防左救右，疲於奔命。

成蟜和嬴和商量的結果，認爲秦軍擅長攻擊，不宜防守處於挨打地位，弄得軍隊士氣低落。

他們要求繼續攻擊作戰，卻遭到呂不韋的否決，要他們全力經營上黨地區。他們提出報告，戰區內軍民民生物資缺乏，希望國內能有所補充，呂相國的批覆是，後方儘快盡量增加補給，但將軍亦應就地設法。

就在軍民食用困難之際，趙國忽然大舉反攻，趙將扈輒率大軍廿萬，消滅了秦軍前進警戒部隊，一舉包圍了屯留和蒲鶮，切斷了兩城之間的聯繫，但他也不急著攻城，看樣子是想餓死他們。

另方面，魏、楚也加強對秦軍補給的騷擾和掠奪。

成蟜和嬴和不斷派出使者到咸陽求救，呂不韋卻遲遲不發救兵，只是要他們固守。

成蟜這時眞的是面臨內缺糧草，外無救兵的絕境。

9

那晚，成蟜帶著幾十名從騎巡視城防。

半鉤新月，正逐漸西沉，那種似血的紅色，爲他心上蒙上一層不祥的憂鬱。

深秋的西風吹在身上，使他感覺到深深寒意，他猛然想起，士卒仍然身著春衣，禦寒的被服還不知道在哪裡？圍城已經半年，軍隊已殺牲口而食，他們先是宰殺不堪服役的騾馬，最後不得不分食心愛的戰馬。最近軍中已傳出，民眾偷挖剛掩埋的屍體煮來吃，燃料就用拆下來的房屋木料，而軍隊也有斬殺傷重同袍，分而食之的慘劇發生。

總之，無論軍民，現在除了吃以外，其他什麼也引不起他們的興趣，給他們一小袋糧食，比封侯賜金更能鼓勵士氣。

在這半年中，敵人雖然也虛張聲勢的攻過幾次城，但除了增加城內守軍的傷亡，嚴重破壞秦軍的士氣外，他們並沒有硬行攻下這個城的意圖，很明顯的，敵人是想餓得他們投降。

他今夜巡視了幾處地方，所見到的民眾一個個餓得皮包骨頭，很多瘦骨突出，似乎隨時會穿破那層薄薄毫無一點血色的皮。他們擠在一起躺著，呻吟著，見到他來，眼中都流露著憤怒。這還不可怕，最可怕的是他們臉上的貪婪表情，似乎是想將他們這行人的肥壯乘馬宰殺來吃。

每到一處防地哨所，所看到的士卒全都餓得奄奄一息，他們靠著一點嚴格分配的口糧，多加水煮稀了來充飢，但這點口糧再過幾天也將發放不出來。

有的人當面向他發出怨言，說是秦軍自征戰以來，從未如此窩囊，不管戰勝戰敗，都是像迅雷如旋風，不會久等在一地等死，言外之意是責備他這個主帥無能。

有的看到他來，乾脆裝傷重裝餓昏，根本就不理睬他；有的高舉無力的手，用微弱顫抖的聲音要求他率領他們衝出去突圍，但這種連走路都會跌倒的軍隊，還能強行突圍？突圍後又能到哪裡去？他們將遭到兵強馬壯的趙軍追擊，還要面對魏、楚軍的埋伏和截擊！

最可憐的還是那些受傷的士卒，他們沒有醫藥治傷，創口發炎潰爛，有的都爬滿蛆蟲。他們不但要忍受疼痛，還得提防有人會殺了他們充飢。有的自認活不了的傷者，也會自動傷感的向同伴說：

「我是活不成了，拖下去只有延長痛苦，你們乾脆將我殺了，至少還可以讓你們多活幾天，等待援軍來到。」

看到和想到這些景象，成蟜現在又不得不重新考慮一個難題。

下午嬴和來報，趙王派使者來見。爲了表示守城決心，他告訴嬴和說：

「孤不想見他，將他殺掉算了！」

「兩軍交戰，不斬來使，」嬴和連忙阻止他：「何況殿下也可以聽聽他要說些什麼。」

「不，秦國從來沒有降將！」他堅決的說。

嬴和似乎還有很多話要說，看到他這樣堅持，也就不敢再說下去。他知道他想什麼，呂不韋似乎是有意遲遲不派出救兵，再等下去只有全軍餓死這條路。

但他答應過秦王政，無論在任何情況下，他都不會背叛他，儘管呂不韋在中間搗鬼。前不久，他派出私人使者去見秦王，如今還沒回報，他只有等下去，他對王兄有信心，儘管他未親政，掌握不了實權，但他到底是一國之君，他總會想辦法來救他和這幾萬部隊的，所以再苦他也得堅持下去。

正在他想著這些的時候，忽聽一處城牆邊火光明亮，殺聲大起。

「敵人攻城了？」他轉臉問身後一名從騎。

「讓卑職去看看。」從騎縱馬過去。

不一會，從騎氣喘吁吁的回馬來報：

「有兩群自己兵卒正在打鬥！」

「爲什麼？」

「搶奪一具傷重致死者的屍體！」

他沒有再問爲什麼，只是大聲向從騎喊著：

「跟我來！」

這兩股兵卒大約各有二十多個人，殺敵已無力，但自相殘殺好像還是有勁得很。周圍有數百人在圍觀，其中有幾名軍官在內，他們不但不阻止，反而鼓噪著喊加把勁。

圍觀者聽到急速的馬蹄聲，再看淸是高級長官來到，全都一哄而散。打鬥者殺紅了眼睛，根本沒注意成嶠一行人，他們繼續打殺，還有人在嘴裡罵著：

「你們這些禽獸不如的畜牲，連我們傷重致死的屍體都要偷？眞是喪盡天良！」

「你們不要假惺惺裝好人，留著還不是自己想吃！」一名兵卒邊打殺還邊罵。

「肥水不落外人田，我們就是自己吃，也輪不到你們！」

「全部拿下！」成嶠氣得快瘋了。

從騎紛紛下馬要想抓人，但這些地頭蛇對防區的地形比他們要熟得多，紛紛逃到暗處，一下就跑光了，只留下一具瘦弱見骨的屍體，四肢張開的直挺挺躺在那裡，很明顯的，四肢張開乃是這些飢餓同袍拉扯的結果。

成嶠只覺得一陣眼熱，他向身後的傳騎下令說：

「請嬴將軍來府議事！」

他兩腿一夾，胯下的烏騅馬長嘶一聲，飛也似的奔向將軍府，後面的從騎也全都跟了上來。

一陣夜風吹來，成蟜只覺臉上發涼，他抽出手來一摸，才發現到自己竟然滿面是淚！

10

他這邊命傳騎召喚嬴和，誰知他回將軍府議事堂時，嬴和帶著幾位高級將領正在等著見他。他們是中軍都尉右更趙成，中軍右尉五大夫嬴悅，後軍都尉少良造司馬疾，後軍右尉公大夫嚴重和輜糧軍都尉五大夫呂直。

他們見到成蟜，連忙站起行了軍禮。成蟜升座後擺手說：

「各位將軍請坐，我剛才命傳騎請嬴將軍，想不到各位先來。」

說完話他才發現到室內的氣氛不對，每個人臉色嚴肅，沉默不作一聲。成蟜想打破這種沉寂，他轉向坐在右邊首位的嬴和說：

「嬴將軍帶領各位都尉深夜來府，有什麼重大事情發生嗎？」

嬴和看了看室內諸人，清了清喉嚨，似乎是鼓足了勇氣的說：

「我軍的危困，公子大概很清楚……」

說到這裡，他突然停住，彷彿底下的話他無法明言，而要別人接下去。成蟜點點頭，他滿懷哀傷的說：

「不但清楚，而且剛才孤親眼見到一場慘絕人寰的悲劇。」接著他將剛才所見爭食屍體的事情說了，然後一整臉色轉向趙成說：「趙將軍，那是你的防區，請你查一查。」

趙成生得五短身材，卻是中氣十足，聲如洪鐘，他語驚四座的說道：

「這種事全城每晚都會發生數起，眞的已查不勝查，防不勝防。開始時，末將還殺了幾個人以示懲戒，公子你知道結果如何？午時三刻殺的，半夜子時屍體就被別人挖走，全都吃進了肚子……」

說到這裡，這位平日以不動聲色著稱的鐵面將軍，竟也聲音哽塞說不下去了。

「各位將軍，孤日前已派出私人使者覲謁王兄，孤相信他會派援軍來，各位請鼓勵屬下，還得忍耐支持下去。」成蟜也語帶憂傷的說。

「支持？我們的確再也支持不下去了！」室內的人幾乎是異口同聲說出這句話來。

成蟜皺了皺眉頭，看看嬴和這位老將，這些人都是跟隨他多年的老部下，這種時候，統帥或公子的頭銜是已壓不住這些沙場英雄了。

「各位將軍稍安勿躁，」嬴和咳嗽清清喉嚨，向成蟜拱拱手說：「事到如今，末將也不得不道出肺腑之言，公子要是見罪，處以車裂之刑也再所不辭了。」

「嬴將軍請講。」

成蟜話未說完，眾將領又一起大聲說：

「公子既然要你講，你就直言吧！」

成蟜對眼前這種情形暗暗心驚，看樣子他們是商量好以後才來的。

「公子，奸相呂不韋擅權誤國，」嬴和悲憤的說：「有意延誤和中斷我軍的補給，又不准我們進攻，也不讓我們撤退，現在被圍，又不派兵援救，明明是要借敵人之手，消滅我們這支忠心保衛王室的軍隊。」

「不錯，不錯，奸相就是這個意圖。」眾人又紛紛議論起來。

「公子，今天趙國派使者來議和……」嬴和繼續說，底下卻爲成蟜所打斷。

「他們想我們投降？」成蟜問。

「不是投降，是議和。」

「什麼條件？」成蟜有點心動。

「使者帶來趙王的書信，上言天下都知道嬴政是呂不韋的兒子，只有公子才是眞正先王的血脈……」

「不要這樣說王兄！」成嶠有點動怒。

「這個傳言秦國也人盡皆知，恐怕只有公子和主上兩人不知道，因爲沒有人敢向你們提起。」趙成又插口說。

「趙王信上還說些什麼？」成嶠要嬴和繼續說。

「趙王說，只要公子答應兩國修好，他願意聯合各國支持公子登位，除掉擅權欺上的呂不韋。」

「那我王兄呢？」成嶠偏著頭喃喃的問，廿歲不到的大孩子原形又露出來了。

「當然到時候是聽公子發落了。」嬴和微笑著說。

「那不是謀反嗎？」成嶠沉思的問。

「差不多，不過末將們認爲是反正，除掉呂不韋父子，恢復秦王室正統。」

「那不行，傳言怎可當眞！即使是眞的，王兄也是先王親自立的，他當然是正統。」

「到這種時候，公子還說這種話，是不是太……忠心了點？」嬴和苦笑著說。他本來想說太傻，想想他到底是主帥，雖然還是個沒行冠禮的大孩子，他應該爲他留點面子。

「不，謀反不行！各位要記得，各位的家屬都還留在秦國。」成嶠語帶威脅的說。

想不到他這句話激怒了室中每個人，他們紛紛鼓噪起來。

他們都長跪而起，搶著發言。

「比起數萬大軍的生命，末將的家屬算不得什麼！」趙成首先發難說。

「不錯，眼前本人的生命都保不住，哪還顧得了家屬！」後軍都尉司馬疾接著說。

「這種人吃人的情形再繼續下去，不要敵人來攻，內部互鬥而潰散，乃是早晚的事！」久未說話的後軍右尉公大夫嚴重也接口說。

「稟告公子，城中餘糧只夠配給五天，再下去只有讓大家人吃人了。」輜糧軍都尉五大夫呂直聲壓眾人的報告。

「不要再等五天，目下末將就不敢保證軍隊會嘩變，開啟城門迎敵或是投降，末將實在已統制無力，請讓末將以死謝罪！」趙成拔出佩劍就要自刎。

坐在他上首的嬴和眼快，一把奪下他的劍，厲聲的說：

「趙成，不得胡來！」

經趙成這一來，室中眾人紛紛拔著佩劍，都往頸子上要抹，口中全嚷著：

「請讓末將一死以謝公子！」

成嶠連忙喝住，等眾人都插劍入鞘後才無奈的嘆口氣說：

「各位將軍到底想要孤怎麼做？」

「公子，事到如今，只有與趙議和，讓趙國將糧食運來再說。」

「先運糧，後議和，這是我最起碼的條件。」成嶠為了維持主帥的面子，只有這樣說一句了。

「公子什麼時候接見趙國使者？」嬴和舒了一口氣問。

「不了，請嬴將軍全權代我，你就說我病重，不能見客。」

成嶠聲音虛軟，手腳無力，他懷疑自己是真的病了。

11

秦王政坐在議事大殿上，耳聽著大臣紛紛接連奏事，他根本一句也未聽進去，這些日常政務有呂不韋去處理，他腦子裡只盤算著一件事，如何將昨晚考慮了一夜的事，快刀斬亂麻的予以解決。

昨天，他祕密的接見了趙國前方回來的成嶠使者，才知道上黨的戰事發生了這樣大的變化。以往他每次問呂不韋，他只說，佔據了屯留、蒲鶮兩地的秦軍，正在整頓，從事地方政府的編組，正面沒有發生重大戰爭。

整整被包圍了半年，糧草耗盡，沒有援軍，敵人不攻城，當然沒有戰事！呂不韋對他說的每句話都是眞的，但整個加起來卻是個一手遮天的大謊言，不但他被蒙在鼓裡，所有朝內群臣和全國民眾全都不知道實情，還認爲成蟜眞的將上黨治理得有聲有色。

原來所有來報前方緊急的軍使，全被呂不韋軟禁，所有信鴿帶來的告急文書全遭扣留。

在聽完軍使聲淚俱下的報告後，他立刻打發軍使祕密回程，告訴他，怎樣他都要設法進得屯留城，轉告長安君援軍很快會到，以激勵士氣，再艱苦的撐一段時間。這方面他利用軍使帶來的信鴿帶回一塊竹簡，親自用硃砂在上面寫了幾個字——

援軍即到　　嬴政

但放了信鴿，打發走使者，他內心又徬徨起來，調動大軍的軍令符在母后手上，他又尚未親政，如何調動兵馬？最後他只得向中隱老人請教。

中隱老人盤坐閉目聽完他說的話，只笑著告訴他：

「你已是一國之君，不能凡事都聽別人的，你想救成蟜就趕快去救，否則怕來不及了！」

「但軍令符在太后手上。」他痛苦的說。

「東西是死的，人是活的。」老人也只回答這一句。

「嬴政尚未親政，滿朝都是呂不韋的人。」

「你太小看自己，記住你姓嬴，他姓呂，而且是外國人，我就提醒你這麼多，其餘自己去想，回去吧，不要拿這件事再來煩我！」

老人的眼睛又閉上了，秦王政再怎麼問，他就是置之不理。

昨晚，他將老人的兩句話思考了一夜，終於悟出了話中的玄機，決定今天早晨當著群臣一勞永逸解決所有問題，當然救援成蟜最爲緊急優先。

好不容易等到群臣奏事完畢，司儀侍中想喊「有事稟奏，無事退朝」之際，秦王政輕喝一聲：

「且慢！」

就在群臣驚愕，詫異秦王今天突然管事的時候，秦王政轉向呂不韋問：

「上黨方面情勢如何？」

呂不韋先是一驚，隨即很快沉著的啓奏：

「屯留和蒲鶮分別被圍，老臣正在計劃救援。」

看到他一副成竹在胸的神態，秦王政不覺也暗暗心驚，看情形他已知道昨晚他祕密接見軍使的事，換句話說，他的宮中也有呂不韋安排的人，他的一舉一動都逃不過他的監視。

他一眼看過去，殿上卅多個文武大臣，呂不韋的心腹雖然各據要津，但職位遠低於這些宗室大臣，而人數也只佔有三分之一不到，這時他更體會到老人話裡的意思。他提高嗓門向呂不韋說：

「既然早知屯留和蒲鶮被圍，爲什麼不發兵相救？」

「屯留和蒲鶮什麼時候被圍，怎麼連我們都不知道？」眾大臣紛紛小聲議論起來。

呂不韋看到情形不對，硬著頭皮說：

「老臣也是最近才接到報告，正要和太后商量，取得軍令符以便發兵。」

「不必了，救兵如救火，爭取任何一點時間都是好的。寡人現在宣佈，太后居雍，令符取送不便，即予作廢……」

「按體制……」呂不韋的頭號心腹廷尉呂執出班奏事。

「呂廷尉暫時住口！」秦王政威嚴的說。

他的狼音豺聲今天顯出它的威力，尖銳而粗糙的聲音像鈍鋸一樣，鋸割著眾人的耳朵，使眾人膽戰心驚，頭皮發麻。

「東西是死的，人是活的，軍令符代表國君權威，國君可以製發，當然也可以收廢！」秦王政微笑著說。

這番話說得呂不韋的心腹個個垂頭喪氣，而眾多宗室和舊臣則眉飛色舞，驚喜不止。

「國尉！」秦王政又喊。

「老臣在！」高大的桓齮出班領旨。

「限你在兩天內製成新玉令符，交寡人驗收，並在十天內召集十萬人馬，交由寡人親自出征！」

無論呂不韋的人或是宗室重臣，全都像遭到雷擊一樣，面面相覷，驚詫得說不出話來。

「老臣啓奏，按照秦律，」呂不韋還想作最後掙扎：「除非國家危亡，國君不得作親征之舉，如今……」

「仲父不必多說了，」秦王政笑著說：「成蟜是寡人唯一的兄弟，交託給別人，寡人不放心。」

他的話中有話，說得呂不韋不敢再爭，何況眾多宗室和舊臣，也都瞪著眼睛看他。

「長吏蒙武。」秦王政又傳。

「臣在！」英挺俊秀的蒙武出班。

「令尊爲先王託孤大臣之一，長期爲國在外征伐，因而積勞謝世，卿雖年輕，但頗有令尊厚重之風，今寡人任你爲僕射，共同與相國輔助寡人，今後凡有政令施行，你要和相國共同簽署，方爲有效。」

「謝大王！」蒙武不動聲色的回到班列。

眾宗室及舊臣忍不住歡呼出聲，秦王這項宣佈是明白表示，呂不韋的相權分割了一半，與往日相國專權，左右丞相只是奉命行事，伴食而已，有了基本上的改變。

呂不韋氣得滿臉發青，額上那根青筋激烈跳動，就像隨時會裂開一樣，但在大庭廣眾反對勢力人數超過他甚多的情形下，他不敢發作。

「好，寡人最後宣佈一件事，」秦王政又突如其來的說：「從現在起，寡人正式親政，至於行冠禮的事，等寡人回師之時再議，無事就退朝吧！」

散朝後，文武大臣猶聚在一起，三五成群紛紛議論，對秦王政的獨斷明快，包括呂不韋在內，全都驚服，他只用幾句話，就成功的發動了一場不著痕跡的政變。

12

秦王政親率十萬大軍，浩浩蕩蕩殺向上黨，一路上只遇到趙魏軍象徵性的抵抗，但在行軍佈陣上，卻顯示了他出眾的軍事天賦，連屬下那些身經百戰的老將都佩服得五體投地。

出發前，群臣建議以桓齮爲裨將，意思是要桓齮指揮作戰，秦王只是掛個名義而已。誰知秦王不用裨將，凡事親自策劃指揮，卻也頭頭是道，彷彿久歷戎行一樣。秦王政自己才發覺到，中隱老人多年來傳授他的兵法，乃是眞材實料，並非一般的紙上談兵。

出發前的這幾天，他對國內事務也作了妥善的安排。呂相國和僕射蒙武共同掌管政事，運送糧料、後勤補給、準備增援部隊等軍政事務，全權交由桓齮負責；另派李斯爲長吏，專事負責對敵情報的蒐集，策反敵國大臣將軍，並維護國家機密，隨時查緝通敵謀反軍民，並對大臣及地方首長進行祕密考核。

秦王政這一項行動，奠定了政軍分離，以及情報系統直屬國君的基礎，不像以前，凡事都要經由丞相。由此大權全掌握在國君一人之手。

正在他連戰皆捷，急著趕去救成蟜的時候，中途得到成蟜已反的消息，乍聽之下，他眞的不敢相信。

最使他傷心的事是成蟜還發佈了一項檄文，除了聲討呂不韋專權誤國，結黨營私，淫亂後宮等罪狀外，連他嬴政也牽扯進去，說他乃是呂不韋的兒子，不配繼承，只有他成蟜才是先王血胤，應該登秦王位。

先前他只知道母親原是呂不韋義妹的事，小時候聽那些邯鄲小兒胡亂唱歌，喊他棄兒等等，在印象中早已淡掉，回秦以後，根本沒人敢在他面前提這類事，成蟜這一提，將他的新仇舊恨全引發出來。

他看到那篇檄文後，就像瘋了一樣的狂怒大叫，將刻著檄文的竹簡劈得粉碎，還把那些撿拾檄文報功的兵卒全部斬首，罪名是爲敵宣傳。爾後再也沒人敢在他前面提起成蟜的名字。

他連騎在馬上或坐在車上行軍時，也常會仰首對天喃喃而語：

「成蟜，成蟜，我唯一的兄弟，別人這樣對我，我不會難過，爲什麼獨獨是你！難道你忘了我們小時候的誓言？」

接著他又低頭嘆息，不斷自語：

「成蟜，成蟜，我不相信，你絕對不會，這是假的，乃是敵人的離間之計！」

屬下的將領見他這副神經錯亂的模樣，深怕他胡亂指揮，貽誤軍機，在他發號施令、調兵遣將時，全都揑著一把冷汗。到後來才知道，他在指揮軍隊時，卻變成完全不同的兩個人，他冷靜沉著，談笑之間，什麼任務都分配得妥妥當當。

衆將領不得不承認他是天縱英才。

有一天，他從李斯處得到正確情報，得知成蟜是被逼，而且如今已成了傀儡，實權完全在嬴和手裡，他內心終於得到安慰，他在心裡說：

「成蟜，成蟜，我知道你不會負我！嬴和等人，他們會付出他們脅上謀反的代價！」

秦國大軍兵臨屯留城下時，已見不到一個趙軍。就謀略而言，趙國這次是成功的，它造成秦軍自相殘殺，尤其是秦王兄弟相殘的悲慘局面。

原本，趙王還打著先前的如意算盤：引誘秦軍深入後，讓秦王兄弟正面對敵，他聯合魏國騷擾秦軍後方，待秦軍兩敗俱傷後，再行夾擊，一戰擒獲秦王。

想不到他這次遇到的對手是秦王政，再加上桓齮快速的後勤補給和李斯靈活的情報及反間運用，趙魏本身就聯合不起來。秦軍不等他們來偷襲，早就派出騎兵來圍剿這些小股游擊隊，過去用來對付成蟜的戰術，一點都不再用得上。

趙王和他的將軍們如今只剩下一個希望，就是等秦國這兩隻剛長成的壯虎相鬥，等到一死一傷後，他們再出來收拾那隻傷虎。

13

秦王政下令圍城，十萬精兵除了側翼用部份兵力警戒，防止趙魏的奇襲外，全都參加了圍城行動。他的主要目的是讓城內叛軍看看討伐部隊的軍威，最好是知難而降，自己人在敵人環伺中互相殘殺，是愚蠢的悲劇，也是危險的鬧劇，注定會是同歸於盡的命運。

秦王政在完成圍城部署後，兩度派出使者要求叛軍投降，但都遭到拒絕。叛軍聲言，他們才是正統，要和平，首先要解除呂不韋的官職，追查這次補給支援不力的責任，同時嬴政必須退位，由宗正召開宗室會議，在他和成蟜中間選一個冊立。

在秦王政耳中聽來，當然這都只是些笑話，但卻表示出叛軍寧死不降的決心。

在要下達攻擊命令的當天拂曉，他帶著將領騎馬巡視了一趟攻城準備。

勁弩隊俯伏在掘好的壕溝裡，箭已上弦，頭幾批發射的都將是火箭，可燃燒敵人設施，也可指示攻擊目標。飛石隊則裝備有飛石機，可將巨大石塊投進城內。

雲梯隊也已準備好，一架架長長的雲梯橫放在地面上，俯伏在兩旁的兵卒，就像蟻附在竹枝上的螞蟻。

撞門隊巨大的撞門機由四匹馬拉著，粗壯的撞門木以四條鐵鏈吊在木架上，要運用幾十個人的力量才能推動，撞開城門。

步兵隊形成一塊塊的小矩陣排列，矩陣與矩陣之間，放置著高大的雲台，這種雲台高與城牆齊，在先頭部隊由雲梯攻上城牆，佔領一塊據點後，後續部隊可由雲台大量運上城牆。

最後是戰車隊等著隨後進城佔據要點。

騎兵隊則集結兩側，是擔任側翼警戒，也是等待步兵攻開城門，由他們衝殺進去，擴張戰果。

這些人馬個個屏息以待，數萬大軍，除了偶爾聽到傳騎來回部隊間傳令的馬蹄聲以外，一片寂靜。

他們都等待著天亮前的那一刻，一聲號令之下，這裡將是萬箭齊發，殺聲震天，干戈齊飛，血流漂杵的人間地獄。

還有一項祕密行動，這也是秦王政的創舉——他派了數千兵卒和附近徵集來的民伕，正從城外挖幾條地道入城，這樣可減少人員傷亡，也可攻敵不備。為了怕挖掘進行時為對方發覺，多半是夜裡進行，戰鬥開始後，則可在戰鬥的掩護下日夜進行。

秦王在巡視完攻擊準備後，對一切都感到很滿意。他望望屯留城樓，只見也是火把處處，在火光下看得見巡邏人員來回走動不斷，兵器偶爾在火光中閃亮。

「啓稟大王，攻擊時刻快到，大王是否要退居指揮位置？」一位中軍都尉說：「犯冒石矢乃是為臣的事。」

「等一下，」秦王政沉吟的說：「攻擊時間可以延後一點，寡人不見到成蟜勸誡他一番，實在是不甘心，這場兄弟鬩牆之戰，能免就應該免掉！」

「可是攻擊開始時間已通令全軍……」中軍都尉遲疑的說。

「事情是死的，人是活的，攻擊開始得聽寡人親自下令，以鼓聲行事！」秦王政果斷的說：「派人向城裡傳話，寡人要見長安君。」

兩名傳騎應聲而出，飛馬來到城樓下放聲大叫：

「大王要長安君說話。」

城上只是一陣嘈雜，似乎是認爲秦王部隊要開始攻城，接著有人喊著說：

「要打要殺，趕快開始，不要囉嗦！」

很多在城上的兵卒也跟著鼓噪起來。

秦王政將馬一夾，向城樓下馳去，中軍都尉要想攔阻，已來不及，只得率領執盾護衛跟了上去，緊緊護著秦王。秦王要護衛燃亮火把，中軍都尉連忙在一旁制止：

「大王，這樣太危險。」

「寡人要他們看清到底是誰來了，不要緊的。」秦王政微笑著說。

接著他大聲向城樓上喊：

「各位弟兄，嬴政要成蟜講話！」

城樓又是一陣騷動，有人喊著說：

「眞的是大王親自到了！」

「大王要長安君說話！」城下傳騎跟著喊。

沒過一會，成蟜在城樓上出現，火光中還能辨識他那張年輕俊秀的臉，雖然他全身甲冑，卻顯得萎靡不堪，身邊跟著嬴和諸將領。

「成蟜，你爲什麼負我，爲什麼要違背諾言？」秦王政高喊著。

成蟜沉默，不作一聲。

「嬴和，寡人信任你，才將唯一的弱弟交託給你，你不輔助他，反而脅迫他謀反，你該當何罪？」秦王政又轉向成蟜身旁的嬴和說。

「都是奸相呂不韋造成今天這樣局面，不除呂不韋，我們是不會甘心的！」嬴和大聲喊著回答。

「那是以後的事，目前你們要做的是趕快投降，免得兄弟相殘，讓趙魏漁翁得利！」秦王政想動之以情。

「事到如今，有如船到江心補漏，已經嫌遲，只有決一死戰了，我們和趙國訂有盟約，相信他們會來相救。」嬴和硬著頭皮說。

「嬴和，這樣大的人，怎麼還這樣天眞？秦趙之間訂過多少盟約，有哪件是實行過的？

趕快投降，自行請罪，還可罪不及家族！」秦王政嚴厲大喝。

「鹿死誰手尚未可知，十萬軍隊能攻下此城，算你有本事，放箭！」嬴和老羞成怒。

「且慢！」成蟜這時才開口制止放箭，一邊已拔出佩劍在手說道：「王兄，成蟜無顏再見你！」他反手往頸子上抹去。

嬴和眼明手快，拍打劍柄，劍往下滑，插進胸部，一時血流如注，嬴和正想勸解，只見成蟜一個翻身，竟從城樓跳了下去。

「快接！」秦王政縱馬過去，四名執盾郎中護衛緊緊相隨，成蟜落下時，正好落在秦王馬的後臀，減少了部份衝力，摔在地上昏厥過去。

秦王命人速將成蟜送回帳篷救治，一面下令攻城，一時之間，鼓聲雷動，號角齊鳴，殺聲震天，一場驚天動地的攻城戰開始了。

成蟜一走，叛軍失去號召中心，有人打開城門，紛紛棄械投降。

嬴和等將領見大勢已去，也都橫劍自刎，不到兩個時辰，戰爭即告結束。

14

成蟜幾天來都處於昏迷狀態，秦王政衣不解帶的在一旁親自看著太醫換藥，守著侍女為他換衣清理。太醫說，他劍傷深及肺部，能活的機會很小。

他刻意將成蟜放在屯留將軍府原來的臥室，他就睡在同一個臥室裡，只要成蟜一翻身或是呻吟，他就趕快過去探看。

那天午夜，奇蹟似的成蟜竟從昏迷中醒過來，吵著肚子餓，他要侍女爲他拿了點湯水來，但餵他喝了幾口就不想再喝。他張開眼睛，看到是秦王政親手在餵他，他不勝驚奇，也不勝感激，他閉上眼睛虛弱的問：

「戰鬥開始了？」

「不，戰鬥早在幾天前就結束了！」

「王兄，我對不起你！」成蟜帶點哽咽的說：「沒想到你還是對我這樣好！」

「我已查明了一切原因和內情，你是受脅迫，不能怪你，回去我要好好算這筆帳！」

「嬴和他們呢？」成蟜關心的問。

「這些叛賊死有餘辜，要不是賢弟這一跳，自相殘殺又不知道會死多少人！他們全自刎了，但我還是將他們的屍首處以車裂之刑，人頭懸掛在城門示眾。」秦王政恨聲說。

「王兄，我總覺得你有時候會變成兩個人。」成蟜露出孩子氣的微笑說。

「此話作何解釋？」秦王政也笑著問。

「一個嬴政對兄弟好友愛，對情人好多情；一個秦王對內侍多嚴厲，對屬下多殘忍！」

成蟜帶點勸勉的口氣說：「兩者折衷一點也許比較好些。」

「情人？你什麼時候發現我有情人的？」秦王政驚詫的問，隨即又「哦」了一聲說：「那天上林救我的是你？」

成蟜帶著神祕的笑容看著他，不說是否。在搖晃的燭光下，他因發熱而顯得紅潤的臉，看上去更像個天眞無邪的孩了。

「她雖然已經進宮，但我們仍然保持著以前的關係，」秦王政這時也變成一個深怕別人會誤會他的孩子：「純潔的關係，什麼都沒有，只是看看她就夠了，你相信嗎？」

「當然相信，從小到現在，哪一次你說話我沒有相信過？」成蟜眼中充滿童年時對他崇信的光輝。

「爲什麼我們要生在帝王家？」秦王政看不得這種眼神，他激動的握住成蟜的手：「要是生在一般百姓家，我們可以相親相愛，有什麼東西你喜歡，我一定會給你！」

「大哥，」成蟜痛苦的說：「我並不想奪你的王位，當然，我也有責任，我應該在他們脅迫我的時候，就像這次一樣橫劍自刎。我沒有！我向他們屈服了，但是你要知道當時的情形！」

「不要說了，事情經過我全知道，全調查淸楚了，回去我要和呂不韋好好算這筆帳。」秦王政狠狠的說。

「大哥！」成蟜想問呂不韋是他父親的傳言，可是怎樣也說不出口，他轉口說：「全體將領以自殺逼我，當時屯留城裡人吃人，爲搶屍體吃而群鬥，我受不了！」

「當然你會受不了，換了我也受不了，何況你還只是個大孩子。」秦王政愛憐的整理成蟜額前的散髮。

「你比我只大多少？但事情在你手上就不一樣，我相信換了是你，情況絕對不會這樣糟。你是天生的君主，我不是，老爹教你帝王學，你很快就會融會貫通，但我卻覺得厭煩，嫌其中的機詐太多。」成蟜以崇拜的口吻說個不停。

「來之前，我見過老爹，他說要救你得趕快，想不到最後救人的人和被救的人還要兵刃相見。」秦王政笑著打趣。

「大哥！」成蟜難爲情的喊。

「好，不談這些，不談這些。」秦王政連忙搖手安撫：「你好好休養，傷好點後，我們一起回咸陽。」

「恐怕我這次再也不會好了，」成蟜嘆口氣：「這幾天我昏昏沉沉的時候，做了好多稀奇古怪的夢，只有一個最清楚。我夢到我母親，她說她是來接我到另外一個世界，那裡沒有煩惱痛苦，沒有勾心鬥角；她說我生性太善良，不適合生存在這個世界上。的確，我也覺得這個世界沒有什麼可留戀的。」

談到母親，成蟜兩眼閃出了淚光。

「難道對我也不留戀？」秦王政想打破這種悲淒的氣氛，他開玩笑的說。

誰知道聽了他的話，成蟜眼淚反而像泉水一樣湧了出來，他哽咽的說：

「我留戀在老爹那裡一起受業的日子，我留戀我們上林狩獵，直道馳馬的日子。但現在我無顏再活下去，這麼多的士卒爲我喪命，這麼多的將領爲我受刑！」

「不要這樣說，我沒有怪你，一點都不。」秦王政緊握住成蟜的手：「眞的，你要是眞要王位，我也願意讓給你。」

「我相信你疼惜我，也相信你說的是眞話，但這不是你我之間的事，這次我回去，還得面對很多人和事，我不能要你爲難！」

「傻蛋，」秦王政笑著說：「寡人是秦王，說你無罪就是無罪！」

「但我不受一點懲罰，這裡會終生不安。」成蟜指著心口處說：「所以我已沒有活下去的意志！」

秦王政望著燭光下他俊秀的臉，不覺想到成嶠的母親齊姬，她也是缺乏活下去的勇氣，卻有面對死亡的勇氣，這對母子的性格完全一樣，可是他想不透他們的想法。

「還有……」成嶠緊皺著眉。

「還有什麼？是不是傷口又痛了？」秦王政著急的問。

成嶠點點頭，接著又咬緊嘴唇支撐著說：

「大哥，在我臨死前答應我一件事。」

「什麼事？快說！」

「饒恕所有叛將的罪，不要刑及他們的家人，否則你也是該死的！」成嶠笑著說。

「什麼？」秦王政一時會不過意來。

「因爲你也有一個帶頭謀反的弟弟！」

成嶠臉色突變，聲音逐漸嘶啞，創口迸發，鮮血大量滲了出來。

「大哥，答應我！」他祈求的望著秦王政。

「我還有什麼不能答應的！只要你好起來，王位你都可以拿去！」秦王政也兩眼含淚的說。

「大哥，我好痛！」成嶠的呼痛彷彿又回到兒時。

「來人！找太醫！來人！」秦王政急奔門口狂呼。

當晚，長安君成蟜傷重去世。

次日，秦王政要全軍爲他服喪，這表示他認爲成蟜沒有罪，成蟜仍然是派遣軍主帥。

同時，他宣佈，只追究帶頭反叛將領，其餘不究，並且罪不及家人。

叛軍全軍士卒聞赦，高呼萬歲。

但他恨屯留這些百姓，要不是他們先反，秦國不會派成蟜率兵來，也就不會發生後續的一連串事故。

他下令毀城，將屯留人口全部遷往臨洮。

秦王政處事的明快果斷，很快傳遍天下，諸侯各國更爲憂懼。

◉第9章

血戰咸陽

1

秦王政九年三月，嬴政平定上黨反叛，班師回朝，受到全秦民眾英雄式的歡迎。朝中大臣對他更是衷心敬服，不再視他爲一個凡事不管的懦弱君主。

回到咸陽後，嬴政採取了一連串的主動措施。

首先，他命太史在四月選定吉日，由奉常爲他舉行了冠禮，他正式戴冠佩劍變爲成人，也就是他眞正親政的開始。

其次，他發現到，按照現制，丞相的權限太大。丞相總領百官，綜理政務，考核地方首長或諸侯政績優劣，任命官吏，主持朝議，可說政由他出。同時，丞相還管到對外討伐結盟等外交和軍政事務，形成丞相總攬一切，變爲實質上的君王。在這種情形下，能幹的丞相假若忠心，固能便宜行事，若有貳志，很容易造成君王大權旁落，謀反篡位的事也就因此發生。

於是他一親政，就建立了三權分立的制度——

丞相管行政，國尉（太尉）管軍政，廷尉管司法，三者全對君王個人負責，互不隸屬。

本來，所謂三公除了丞相、國尉外，還有御史大夫。他掌理監察，輔助丞相處理政務，故有副相之稱，而廷尉只在九卿之列，位尊不如三公。

但嬴政認爲，君王要擁有絕對權力，就必須以法治國，因此他加重廷尉的責任和職權，下廷尉法辦，以後全由君王直接下令，而不再經由丞相。

另外，他在相國以外又設左丞相、右丞相，名義上是輔助，實際上是互相牽制監視。在近利方面而言，乃是逐漸分割呂不韋的權力。

在宗室大臣和舊臣的擁護下，嬴政逐漸取得實權，並向呂不韋在秦的商業勢力開刀。他重申「輕商重農」政策，將山川林礦之利收歸國有，不准商人得到獨佔權，並嚴禁商人及富家兼併土地，嚴格執行壯男授田政策。

他的步步進逼，造成呂不韋集團的恐慌，紛紛要求呂不韋採取行動，不然他們的既得利益將會完全失去，而轉移到秦國——也就是嬴政——手上。

呂不韋在左右進逼的情形下，只有去找太后商量。

2

這是呂不韋第一次到雍地太后別宮。

他發現到別宮的建築和佈置，比咸陽內宮還要精緻豪華。太后喜愛的曲池流水、音樂迴廊，以及她特別愛好的水晶琉璃燈和鑲嵌金玉的趙國式壁飾，遍佈各處庭園和室內。

這是她獨居的地方，她可以隨心所欲的佈置。嫪毒和她都是在趙國長大的，他們懷念趙國居室庭園的雅致精巧，看不起秦國建築佈置的粗鄙不文，雍地別宮因此用的、吃的、家具器皿，全都是趙式風格。進入此宮，有如一下進入到趙國王宮。

楚玉太后在便宮接見了呂不韋，她摒退了所有內侍和女官，只留下湘兒和繡兒伺候。呂不韋目不轉睛的打量她，忍不住在心中暗嘆，女人的青春眞是易逝！

她今天穿著一件窄腰長裙宮袍，上身套著件精繡無袖小馬夾，雖然仍舊是冰肌玉膚，光艷照人，但她已不得不以脂粉來掩蓋眼角和嘴邊的小皺紋。長期養尊處優的結果，她已逐漸發胖，雖然還不到痴肥的程度，但雙下巴卻隱約可見，極度縱慾的結果，眼圈發黑，下眼瞼也出現淺淺的眼袋。

到底是四十多歲的女人了！呂不韋感嘆她，更為自己已逐漸邁入老年而傷懷。

「不韋，今天是什麼風將你吹來？」她笑吟吟的說。

「早就想來看看妳，總感覺到不方便。」呂不韋言外有意的說。

「你是指嫪毒？他雖然已是南面稱孤的長信侯，但在我跟前，他仍然只是條搖尾乞憐的狗。」太后皺皺鼻，俏皮的笑了笑。

這種笑法，在她年輕時是迷住呂不韋的小動作之一，但在這種年齡再做這種動作，卻只有引起他的傷感。也許她日夜和年輕的嫪毒在一起，仍然保留這種俏皮，乃是很自然的事。

「我不是指嫪毒，而是怕妳的兒子！」呂不韋笑著說。

「我們的兒子！」她糾正他說。

「只能說是妳的兒子！」他堅持。

「爲什麼？」

「哪有兒子逼老子逼得這樣緊的？他快逼得我無路可走了。」呂不韋搖搖頭，長長嘆了一口氣。

「可是我所聽到的批評都是讚美他英明，行事果斷明快，乃是天縱奇才。」

「英明是不錯，但他現在是利用宗室和舊臣來對付我，禁止農田大筆買賣，地主雇用長工不能超過一定數目，佃農爲地主耕種若干年後，地主就不得藉故收回田地，而要讓佃農世代傳下去。同時，他將山川林礦全收爲國有，私人只有使用權而沒有擁有權，這不等於沒收了我和我下面那些人的全部財產？很快我就會變得一無所有了！」說完話，他又嘆了一大口氣。

「不韋，你眞的也太貪心了，即使你相國不做，你的文信侯封地就有河南洛陽十萬戶，還能說一無所有嗎？」

「予取予奪，君王可以一朝之間賜你，也可以一夕之間奪回去，只有合法的私人財產，才是眞正的財產，可以傳給後世子孫。」

「你連個兒子都沒有，還想傳子孫？」太后噗哧的笑了：「就是將你的財產全部充公，不還是交給你的兒子嬴政和他的子孫？你怎麼這樣想不開！」

「話不是這樣說。」呂不韋語塞，牢騷也就發不下去了。

這時，門外忽然傳來孩童的哭鬧聲，太后要繡兒出去看看。

3

「妳的孩子？」呂不韋問。

「不錯，我和嫪毒的孩子！有他們父親的俊秀健壯，有我的聰明和獨特。」太后眼中流露出母性的驕傲。

「他們？我只知道你為了懷孕，避居到這裡，卻不知道妳有幾個孩子。」

「兩個，只要女人會生，有一個，當然也會有第二個。」太后笑了，笑得如此滿足和得意。

「提到嫪毒，妳必須轉告他，聽說他在侯府聚賭，而且還抽頭。」

「男人，尤其是年輕的男人，聲色犬馬，博弈鬧酒，乃是免不掉的，總比整天無所事事，無精打采要來得好些，你不也是過來人？所以我不想管他。」

「但在他府中聚賭的份子太複雜，有宗室大臣，也有宮中近侍和郎中這種人，容易出事，也容易傳進秦王的耳中去。要是出事，以前我還可以包庇，現在我可無能為力了，尤其是抽頭，這更不像話，堂堂長信侯聚賭抽頭，眞是本性難改！」呂不韋又長長嘆了口氣。

「我會要他收斂一點，」太后笑著說：「看你著急成這個樣子，嬴政不會霸道到這種程度吧？說什麼還有我這個老娘在。」

「很難說，現在我越來越發現到他有翻臉成仇，六親不認的個性。」

「這點倒是很像你！」太后格格的大笑起來，很久無法停止。

這時候繡兒帶進來兩個孩子，一個三歲左右，由她用手牽著；抱在手上的一歲多點，手抓繡兒的頭髮，口中牙牙學語。

兩個孩兒都長得非常俊秀，像粉雕玉琢般可愛，他們見到太后，兩個都大聲叫「娘」，大的抱著太后，像扭糖人兒似的糾纏不休。

太后將小的接抱在懷，愛憐的吻著，一面問呂不韋：

「這兩個孩兒長得俊嗎？」

「那還用說，父母都是俊美人物！」呂不韋由衷的讚美。

「你看他們中間誰可以當秦王？」太后半開玩笑的說。

呂不韋聽了她的話，心頭一震，不自覺的看了看站在太后身後的湘兒和繡兒。

「她們不要緊，我常在她們面前開玩笑，也常這樣問她們。」太后毫不在意的說。

「有些玩笑是開不得的。」呂不韋正色的說。

「那你今天來此到底何事？」太后隨即左右看了湘兒和繡兒一眼：「將孩兒抱給他們奶娘吧。」

她們兩人識相的各抱著一個孩子退出室外。

「我們得設法阻止嬴政再進一步的對我不利。」呂不韋繼續話題。

「最根本的辦法是將他廢掉！」太后仍然用的是玩笑口吻。

「別忘了他是我們的兒子。」呂不韋不以爲然的說：「再說，他的根在這裡，我們只是依附在他身上的籐蘿，沒有他，我們也就什麼都沒有了。」

「既然你是這種想法，那你爲什麼不辭去相位就封國養老？」

「我還沒有老到頤養天年那種程度，何況我也沒有孫子可含飴而弄。」呂不韋苦笑著說。

「看你這副前怕狼後怕虎的樣子！哪天嬴政在朝候我的時候，我要說他幾句，要他不要逼你太緊。」

「多謝太后。」呂不韋正經的拱手行禮。

「這不知道是否有效，再不然，乾脆告訴他你是他親生父親！」太后語氣堅決的說。

「不可以！不可以！」呂不韋連連搖手：「這連他的地位都會動搖，皮之不存，毛將焉附！」

「這個傳言早已傳遍天下，」太后說：「只有他一個人不知道。」

「他不會不知道，只是不相信，不願承認罷了，」呂不韋驚惶的說：「假若由妳這個親生母親來證實，在他心上會引發多不良的後果？千萬做不得！」

「唉，看你怕成這個樣子！」太后輕蔑的哼了哼，嘆口氣說：「那我對你的幫忙，也只有這樣多了。見到他我會告誡他，凡事不可操之過急，加冠親政才不過幾個月，就逼得這多人叫苦連天！不韋，你自己以後也得小心行事。」

「告誡他，千萬不能揭穿我和他的關係。」呂不韋又再叮囑一句：「到必要時我會退讓，告老就國，誰教他是我們的兒子。」

話到此也沒有什麼可再說的了，呂不韋告辭。

太后送他走後，站在窗前，守視著花園裡和繡兒湘兒玩得正瘋的兩個孩兒，她不禁自言自語：

「我和你的想法不同，嬴政是個不聽話的劣子，這兩個才是我眞正喜愛的乖兒子！」

4

長信侯府中燈光輝煌，明如白晝。亭台樓榭，處處傳來悅耳的絲竹和歌伎高亢歌聲，這裡每天都是賓客盈門，夜夜歡娛，通宵達旦。這種頹廢、沒有明日的尋歡作風，以往在秦國是見不到的。

長信侯嫪毒不但將趙地的建築和家園風格運用在侯府，而且還帶來趙式享受和宮廷音樂，他本人就是調琴弄瑟的能手。

所謂趙式享受，就是每到天黑上燈時候，府中後進全變成了遊樂場，各式各樣的玩樂，任賓客自行挑選參加，玩厭了就可轉別處，玩得自由痛快，沒有一點拘束。

這裡設有歌舞區——裡面包括能容千人的大廳，表演著數十人組成的大型歌舞劇；也有只能容納幾張席案的密室，一邊飲酒一邊欣賞身穿薄紗的舞伎跳舞，看得興起，可以摟在懷裡調情，也可加入她們忘情狂舞，一掃白日的不快和胸中鬱悶。另外也設有音樂欣賞室，裡面有八音樂隊演奏，也歡迎賓客自己上台演奏或是高歌一番，琴、瑟、笙、簫、編鐘、大小鼓，任君調弄，全都有高手在旁指導。

這裡還有雜技區——分別有胡人的摔角、比刀、比力，也有中原的競射、投石、比劍，全有專人表演。賓客技癢，也歡迎下場，贏了還有采頭可拿。

一般說來，嫪毒門下多市井爭強鬥狠之徒，所以鬥劍場夜夜人滿爲患。只見場中劍士個個蓬頭垢面，臉上兩條鬢腳長得和鬍鬚齊，冠帽全緊壓在眉頭上，緊身短劍衣幾乎全沒有後擺。

他們圍著圓圈，盤膝面對觀眾而坐，每個人眼睛都瞪得大大的，眼神充滿殺氣，膽小之人別說下場和他們比劍，只要聽他們一個字吐半天的說話方式，就會嚇得心驚肉跳。

沒有人下場比式，隔段時間，這些劍士就會自行配對比試，他們全都是玩眞的，因爲贏的人不但有高額的獎金可拿，而且還可以升級，所享受的待遇也就不同；而輸的人，生死全掌在贏者之手，比劍造成生死傷殘，各安天命。

想下場玩的賓客，可以看表演時自行選定對手。一經選定後，可以下賭金，也可只願贏取定額采頭。生死傷殘，亦是各安天命。

在嫪毒的比劍場，每年都有數十人喪命，數百人受傷，但應徵當劍士的源源不斷，每天登記下場比劍的賓客，總得排隊，有時還排不上。

這裡也有較浪漫雅致的遊樂區——弈棋室、字謎室、吟詩室、丹青室，全都有美女伺候，美酒盛饌招待。另外在後花園裡，歡迎賓客攜眷或是帶著臨時談好條件的歌伎舞女、侍酒陪茶的婢女，到裡面談情聊天。

因此，比秦王宮御花園還要幽美，佈置更爲雅致的長信侯府後花園中，花前月下、樹蔭叢中，處處都是摟摟抱抱，喁喁情話的男女。在暗夜的掩蓋下，這裡已沒有了階級地位，誰也不認識誰。有人說，嫪毒府中是龍蛇雜處，但也有人稱讚他打破階級的藩籬，讓上自公侯，下至屠狗販漿之輩，全都融合在一起。

當然，最受賓客歡迎的還是他開設的賭場。在一處可容數百人的大廳裡，擺著各式各樣的賭具，也都各有各的愛好人群在圍著賭，周圍還有多間專供高官顯要聚賭的密室，在裡面賭的人數雖不多，但一場豪賭賭下來，輸贏往往是中產之家百年的收入。這些密室都有專門通道進出，其他不夠資格進入密室的人，連這些人的面貌和聲音都看不到也聽不到。

除了秦王政外，朝中大部份的大臣都知道有這個好去處，很多親貴大臣都在密室中賭過錢，喝過酒，找過女人，這些都是握在嫪毒手上的把柄。還有些人賭輸了，向賭場借錢，這又是欠了嫪毒的人情，錢還不起可以不還，但一定要幫他做點事。

於是，嫪毒就藉著這些吃喝玩樂、女色賭博，在朝中建立了廣大的人脈關係，也買通了不少侍中郎中做他在秦王周圍的耳目，這些親貴顯要、侍中郎中，對他是又愛又怕。愛是因爲他出手大方，有困難他幫你解決；怕的是來這裡大部份的都有不可告人的祕密抓在他手中。

但嫪毒由於出身關係，他不喜歡那些年邁大臣的忸怩作態，不願周旋於他們之間，反而愛和年輕的侍中及郎中在大廳裡賭。

5

有天晚上，大廳裡賭得正熱鬧，燈光明亮，人聲嘈雜，雖然室外已經入秋，室內仍溫暖如春，送茶酒的侍女打扮得花枝招展，像採蜜的花蝴蝶一樣穿梭人群之中。賭徒們大都喝得帶有酒意，不斷喝幺喊六，要大要小，放浪形骸，原形畢露，平日的拘謹或是官架子全都沒有了。

中間有一場是賭骰子，一個大玉碗裡放著三粒骨製骰子，大家用手抓起來，丟在碗裡比點數多少。這種賭法最簡單，輸贏也最快。骰子在碗內翻滾跳動，擲的人心臟會隨之跳快，似乎要從嘴裡跳出來，而骰子在玉碗跳動的聲音，有的人聽了有如財神奏的仙樂，叮叮噹噹，大批金子由天而降；有的人卻如同聽到喪樂，一滾之間，萬貫家財隨之灰飛煙滅！

做莊的正是嫪毒，他今天喝了不少酒，至少有個七、八分醉，英俊白皙的臉像塗上了一層胭脂，顯得格外鮮艷。

「快下注，下多賠多，下少賠少！」他吆喝著。

所謂沐猴而冠，望之不似人君，長信侯雖是錦衣繡袍，金環玉帶，可是怎樣看都不像一個南面稱孤的君侯，他這一吆喝，卻十足是個邯鄲市井的破落戶子弟。

圍著几案而坐的有十多個人，其中有親貴，也有侍中，圍在外面伸頭看熱鬧的人，卻多得難以計數。

桌面上全是玉牌籌碼，小則黃金一兩，大則百兩。要下注先換籌碼，不過有人輸急了，身上臨時掏出傳家之寶或房契地契，只要莊家承認，也能作價直接押上去。

也許正如呂不韋所說，他市井本性難改，已經貴爲君侯，享有毒國封邑，賭錢取樂倒也罷了，他仍舊喜歡出老千耍花樣，爲的不是贏錢，而是喜歡沒有人識破的那股得意和做假時的緊張刺激。

今天他幾乎贏光了桌面上這些人所有的錢，沒有人相信堂堂長信侯會像無賴一樣耍假，就是有人懷疑也不敢說出來。

他的面前堆滿了玉牌籌碼，大大小小不下萬兩，另外還有一些地契房契和有價證券。

「押好離手！」嫪毒大喊：「擲啦！四五六通吃！」

他將骰子丟進玉碗，骰子不斷翻滾，叮噹作響，果然粒粒都是「六」面向上，整整十八點。按規矩三粒骰子同點就是「豹子」，莊家擲出六豹，押家就沒有資格再趕，又是一把通殺。

其實長信侯玩的並不是什麼高明手法，只是預先在錦袍的袖袋裡，裝了三粒一模一樣的骨製骰子，這些骰子都灌了水銀，只要平時練習，就能隨心應手，要擲幾點就是幾點，然後在賭的時候，找機會將原來經過大家檢查過的「眞骰子」換掉。

「啊哈！」圍觀者大叫：「君侯眞的是手氣順！」

賭桌上的人一個個臉色鐵青，一肚子的委屈，但不敢作聲。哪有這麼好的手氣？接連著七、八次通殺！

他們不敢也不願懷疑堂堂的長信侯會做這種下三濫的事。

可是就有一個年輕的郎中不解事，他已輸得滿臉通紅，額頭上冒汗，在燈光下顯得油光光的。他口裡喃喃說著：「莫非骰子是假的！」一邊用手去抓骰子，想拿來檢查。說來也無可厚非，輸急了的賭徒都會有這種動作，並不一定是眞有懷疑。

「大膽！」只聽得長信侯大喝一聲：「你敢懷疑孤家？」

說著他連骰子帶玉碗，抓起來向這名郎中劈頭砸去，郎中到底是習武之人，反應敏捷，他頭一偏沒擊中，玉碗飛出去在一根銅柱上砸得粉碎，當然骰子也飛進人叢，不見了蹤影。

「來人！」長信侯怒氣未消，大聲吆喝：「將這大膽小子綁起來！」

誰知這名郎中年輕氣盛，加上今夜一場豪賭已將祖業輸光，他只想摸摸骰子都不可以嗎？這時他已豁了出去，不怒反笑，沉著的說：

「且慢，賭場上一律平等，不分長幼尊卑，連父子也不留情，輸多了，檢查一下骰子有什麼打緊！」

「這小子還敢如此囂張！給我綁起來！」

諸親貴顯要一看出事，深怕連累到自己，傳出去有損清譽，一個個腳底抹油，偷偷溜走。只剩下一個五大夫因和這名郎中的父親是生前好友，他不忍故友之子遭到危險，連忙上前勸解說：

「君侯，姑念他年輕不懂事，加上輸多了，一時情急，大人不記小人過，你就饒恕他一次吧。」

「不行，這個吃了熊心豹子膽的小子，竟敢說堂堂的長信侯賭假。」嫪毒依然暴跳如雷。

「是啊！是啊！這小子真的該打！」有些生性喜愛奉承拍馬、唯恐天下不亂的人在一旁煽火。

「本人宮中侍奉主上，王侯將相見得多了，一個小小的長信侯也不見得嚇得住我！」年輕郎中寧死不屈的武士精神顯出來了，他拔出佩劍，瞪大了眼睛說。

「混帳東西！」嫪毒平日受慣諂媚，哪受得了這種話：「你們還不將他拿下！」

眾人一看年輕郎中拔劍，知道今夜有場流血的好戲可看，紛紛散到四周，中間留下一塊空間。

只見應聲跳出四名短衣垂冠，嗔目不語的劍士。一名似乎是領班的禿頭劍士，艱難的一個個字說道：

「小——子，你——是棄——劍——投——降，還是——想死——在——我們——劍下？」

「不要多話，手底見眞章！」年輕郎中首先出劍，攻擊那個領班。

只是這小子骨頭雖硬，劍術卻不高明，只過了不到十招，劍就被劍士領班挑脫掉地，喉嚨也被他的劍尖抵住了。旁邊很快有人帶著繩子上來，將他五花大綁綑得緊緊的。嫪毒哈哈大笑，不分青紅皀白，上前先給了他一頓拳打腳踢，然後在他臉上吐了一口濃痰說：

「小子，別跟你老子瞪眼睛，你見王侯將相見得多了，可知道我這個王侯不是一般人，你老子乃是當今秦王的假父！你還服不服氣？將這小子吊起來打！」

朝野對嫪毐和太后的關係，早已傳言紛紛，今天由嫪毐酒後吐眞言，親口證實，周圍的旁觀者不禁嘩然。

府中僕人將這名郎中吊到大廳屋樑上，用皮鞭猛抽，不到一會他就鼻青臉腫，衣服破碎，痛昏過去。

「弄醒再打！打死丟出去！」嫪毐還意猶未盡。

「君侯，不能再打了，」那位五大夫在一旁苦苦哀求：「再打眞的會出人命，他是我故人之子，看在老臣面上饒了他吧！」

「既然是你的世姪，那就交給你管教，今後不得如此無禮。」

「是，老臣遵命，」五大夫轉向帶來的侍僕說：「將公子解下來，扶到我車上去。」

嫪毐不斷得意的大笑，大廳中眾人鴉雀無聲，沒有一個人敢對他正視。

6

秦王政跪坐在中隱老人前面，剛陳述完那名郎中哭訴的長信侯府事件。

老人仍像以往那樣閉目沉思。

「老爹，我該怎麼辦？」秦王政追問：「嫪毐當著那多人面前自稱是我假父！」

「仍然是那句老話——投鼠忌器。」

「又要我置之不理？忍下去？」

「事情本來簡單，」老人微笑著說：「將嫪毐抓來脫掉衣服檢查就是，但問題是假若檢查出他眞的不是閹者，你要如何處置太后？你又將何以自處？」

「……」秦王政默然無語。

「現在，我將我所了解的你的個性，向你作一分析，然後由你自己決定這件事該如何處理。」

「個性和這件事的處理有所關聯嗎？」秦王政不解的問。

「當然有關係。」老人肯定的說。

「那我對自己的個性非常淸楚。」秦王政用的是充滿自信的口吻。

「不，孩子，」老人搖頭嘆息說：「你說這種話就表示你自知之明不夠！」

秦王政驚詫的看著老人，老人又閉目不語。很久，秦王政才驀然驚覺，長揖行禮說：

「嬴政知道錯了，請老爹指點迷津。」

「哈，總算孺子可教！」老人睜開眼睛微笑。

「老爹現在可以說了吧？」秦王政也像孺子般撒起嬌來。

「知人難，知己更難！」老人停頓一下，才又繼續說下去：「銅鏡鑒人，是一個樣子，水中照人，又是另一個樣子，可見想知別人，你所見到的只是部份形象，不一定和其他人相同，也不一定是這個人的眞相，所以說知人難。」

「那自知更難呢？」秦王政提起了興趣。

「自知更是沒有一點憑藉，只能根據自己的經驗判斷，再加上別人一些批評的印證，讓自己認爲自己就是這樣，其實人最難知的還是自己！」

「老爹，對你的話我還是不太懂。」

「你看得到我的睫毛嗎？」老人問。

「看見了。」秦王政答。

「看得到你自己的鼻子嗎？」

「只見到一點鼻尖。」

「眼睛呢？」

「眼睛如何看得見自己的眼睛？」秦王政不禁大笑起來。

「那你知道你的眼睛是什麼樣子？」

「當然知道。」

「看不見從何知道？」

「從銅鏡裡見到的，水面上也常見到，還有別人也會告訴我。」

「所有銅鏡、水面和別人告訴你的都是一樣？」

「不一樣。」秦王政搖搖頭。

「那你要相信誰呢？」老人注視著他問。

「最明亮光滑的銅鏡，最平靜的水面，最對我無所求的人！」秦王政迅速的回答。

「假若你房中的銅鏡都是不夠光滑明亮，所有周圍的人對你都有所求，那怎麼辦呢？」

「換掉不夠光滑明亮的，多找那些無所求的。」

「現在你懂我的意思了嗎？」老人正色的問。

「嬴政如今已明白對自己是一無所知。」秦王政惶恐的回答。

「也許在你周圍，老朽算得上是最無所求的人，也許還算得上明亮光滑，你願意聽我對你作點批評嗎？」

「嬴政謹奉教！」秦王政又拱手作揖。

7

「由多年來對你的觀察，以及這次你對成蟜事件的處理，我發現到你是個外表剛強，內心卻非常脆弱，而且走極端的人。」老人閉目說到這裡，睜開眼睛看秦王政的反應。

果然秦王政臉上露出極不服氣的表情。

「愛之欲其生，惡之欲其死，這是你走極端的個性。行事果斷明快，外表看來極其剛強；但你剛愎自用，不能博採群議，這是因為你怕面對別人，不敢聽到別人的反對意見，乾脆閉上眼睛自行其是。」

秦王臉上出現了自省。

「你凡事不知節制，批閱奏簡文書，徹夜不眠；恨反將，戮屍洩恨；怒屯留百姓，不惜勞民傷財，毀城遷居，這表示你克制不住自己。無慾則剛，自勝者謂之強，你連自己的情緒都控制不住，所以謂之極其脆弱。庶人不知克制情緒，最多不過免冠跣足，以頭撞地，但君主不知克制情緒，則會血流成河，生靈塗炭，輕則危害本身，重則亡社稷亡國，你讀過的史書多有記載，商紂、周厲都是最好的例子。」

秦王政滿臉惶恐，俯地道謝：

「嬴政知錯了，今後一定改過。」

「江山易改，本性難移，這句俗話雖然有道理，但也不一定是完全對，只要你知道個性缺陷所在，知所修正，行中間之道就好了。就怕你以任性爲剛強，以猜忌爲明察，那就糟了。孩子，明白我的意思嗎？」老人慈祥的語帶鼓勵說。

「嬴政該怎麼做？」

「多找幾面明亮光滑銅鏡，多讓自己的心湖平靜，多禮求一些對你無所求的賢臣高士！」老人微笑：「多照鏡子明瞭自己，凡事多考慮，不要任性，多博采群議，多聽違拂自己心意的意見，能這樣的話，雖不中不違矣！」

「老爹哪來這麼多的『多』！」秦王政也微笑著說。

「多見不蔽，多聞不偏。」老人哈哈大笑說：「爲君王者能不蔽不偏，還怕國不治，天下不太平嗎？」

「老爹已分析了嬴政的個性，能否指示我，這和處理嫪毒問題有何關聯？」嬴政有點想爲難老人的問。

「你性喜走極端，嫪毒問題一經處理，你就會不知節制的追根究柢，對不對？」

秦王政想了片刻，點頭稱是。

「但嫪毒問題不單只關係他一個人，牽連的也不只這一件事，對嗎？」

「不錯。」秦王政回答。

「好，由你來告訴我牽涉到哪些人和事。」老人又拿出他一貫的啓發式教育。

秦王政仰首沉思良久，沒有回答。

「好，我先問牽連的人。」老人注視著他問。

「這會牽涉到呂相國和太后。」秦王政回答。

「能不能只治嫪毒的罪，而不涉及他們？」

「不可能，假若查出嫪毒是假冒閹者，他日夜侍奉太后、出入宮闈的事實，不能掩盡天下人之口，另據傳聞，雍地宮中還有他和太后生的兩個孽子！呂不韋是推薦他入宮的人，也就是他的保證人，按秦律，匿奸藏惡，罪與犯奸惡者同罪。」

「你能否承受公開太后淫行的打擊，並治之以淫穢宮闈的罪？」老人語帶惋惜的問。

秦王政低頭沉吟，很久很久才搖著頭說：

「不能。」

「對呂不韋呢？」

「可以，雖然有些傳聞……」秦王沒有再說下去。

「假若太后制止你對呂不韋不利呢？」老人未讓他說下去。

「她本身已難保，還想保住別人？」秦王政聲音提高，顯然又動了怒。

「大王！」老人裝得誠惶誠恐，帶著諷刺的口氣喊。

「老爹，嬴政知錯了。」秦王政平靜下來。

「呂不韋內結人心，外通各國諸侯，你想治他的罪，內有太后阻止，外有各國勸說，再說他多年來政績斐然，雖然他謀了不少私利，但對秦國造福更多，百姓喜歡他！」

「那嬴政該怎麼做？」秦王政焦急的問。

「齊國有一農夫，」老人不回答他問題，卻說起故事來：「麥田撒種抽苗後，卻發現其中混雜著許多稗草，他想除掉，又怕傷到麥苗，正在左右爲難時，一位鄰人向他說，再等些時候，等稗草長大到能單獨除去的時候，就不怕傷及麥苗了。」

秦王政聽了故事，默默沉思。

「明白這個故事的涵意嗎？」老人笑著問。

「嬴政明白了！」秦王政擊案，驀然覺悟。

「去吧，下面是你自己的事了。」

老人又閉上了眼睛。秦王政知道是該告辭的時候了。

8

秦王政知道要等，等稗草長大到單獨除去，但他不耐久等，決定助長稗草成長的速度。

他首先派人在咸陽散播傳言，說是秦王已接到密報，長信侯嫪毒在府中聚賭，正密切注意中。

嫪毒得到消息，再加上呂不韋的埋怨和太后的規勸，他收斂起來，府中不再聚賭，也少了每晚的歡讌。

接著秦王又要人謠傳：有人密告，嫪毒非宦者，假冒進宮，乃是想不利秦王和太后，秦王正追查中。

嫪毒緊張起來，要宮中眼線窺伺秦王政的反應，但看不到他有什麼異常的行動或言論。這使得嫪毒莫測高深，寢食難安，時時都處於膽戰心驚的狀態。不過他的行爲也愈發檢點，甚至連太后都疏遠了。

最後，咸陽附近又興起一股傳言：長信侯宮室之美，車駕之華麗，服飾之精緻，全都在王宮以上，同時長信侯府中的家僕舍人，全都接受軍事訓練，顯然有謀反企圖，秦王近日內即將採取行動。

這下擊中了嫪毒的致命要害。他找到呂不韋辯白，他根本沒有謀反的意思，反而給呂不韋諷刺了一頓，說他是天下本無事，庸人自擾之，秦王不但毫無動靜，反而準備到雍地別宮問候太后。

這更使得嫪毒日夜疑懼，時時刻刻如坐在針氈之上，他和心腹親信商議的結果，所得到的結論是先發制人，後發受制於人，與其坐等秦王治罪，不如乘其不備，搶個先機。

這些情形都落在秦王政的眼裡。眼看著嫪毒這隻怪獸已被騷擾刺激得失去理智，發狂的自動投向陷阱，秦王作好射殺的準備。

他更想藉此機會將呂不韋一起除掉，免得他想做的事經過呂不韋那裡以後，總是七折八扣，失掉他本來的原意。他生性不是個垂拱而治的君主，他要看到自己的意志和想法，百分之百的執行，得到預期的百分之百的效果。

9

雍地太后宮中內寢，楚玉太后坐在繡榻上，繡兒湘兒分侍兩旁，兩個粉雕玉琢般的孩兒分成左右倚在她裡。

在嫪毒進入內寢後，太后要繡兒和湘兒將孩子帶走，沒有召喚不准進來。她們臉露曖昧的笑容帶著孩子退出室外。

等她們一走，太后就板起臉孔，聲色俱厲的對嫪毒說：

「你記得來了？怎麼多次召你都敢拒絕，你好大的膽子！」

嫪毒卻一句話不說，跪俯在她腳前連聲喊道：

「太后救我！」

太后轉過頭去，仍是滿面怒容，不理睬他。

嫪毒跪行向前，仰著頭乞求說：

「臣不是不來，而是不敢來，主上監視得太凶！」

「你怕嬴政，難道就不怕我？哼，他想殺你，我就不能嗎？」太后臉上似乎真的蒙上了殺氣。

嫪毒也不回答，只是像狗一樣用舌頭舔她露在長裙下面的赤腳，先是腳指，然後逐漸舔到腳心。太后先是皺著眉頭想罵，隨後是閉上眼睛享受，最後忍不住噗哧笑出聲來：

「看你這副賤樣子！」

「太后不是不能殺我，而是捨不得殺我！」聽到她一笑，嫪毒知道風暴已經過去，他捧起太后的一隻粉白嬌小的腳，用力的舔著腳心，舔得太后渾身顫抖，格格笑聲不停，她氣喘喘的喊道：

「快停下來，我快笑得喘不過氣來了！」

「答應我不再生氣！」嫪毒還是不停的舔。

「好了，好了，冤家，我不生氣就是，快停下來！」太后一面笑著，一面將腳收回去。

嫪毒坐上繡榻，一把將太后抱在懷裡，雨點似的狂吻她的臉和嘴。太后一面掙扎，一面笑著說：

「臭死人了，剛親腳又來親臉！」

他還是不停的親。

太后用力推開他，正色的問道：

「看你剛才著急的樣子，到底出了什麼事？」

嫪毒將最近的情形說了，然後又跪伏在地，這次不再是嬉皮笑臉的舔腳，而是淚流滿面的接連叩頭。

太后無語的凝視著他英俊的臉，看到他額上叩頭留下的紅印，憐惜的將他拉起來，讓他坐在身邊，輕聲問道：

「毒郎，要我怎樣救你？」

「先發制人，後發制於人！」他咬緊嘴唇。

「這是謀反，乃是滅族之罪，他和我是母子之親，難道你不怕我告訴他？」太后笑著說。

「母子之親，親不過肌膚之親，再說，一個也當不過兩個，別忘了我們還有兩個兒子！」

他挨近她身邊，在她耳畔輕語。

「我能幫你做什麼？」太后問，語氣中充滿了猶豫。

「將妳的玉璽和軍令符給我，我好發兵！」

「給我點時間考慮，好不好？」

「已經沒有時間考慮了！秦王那裡早晚就會發動。」

「但是事關重大，我不能不考慮一下！」

「聽人說，秦王已經知道我假冒閹者進宮的事情，要是揭穿，我死不足惜，太后有何面目見天下？」

「他敢！」太后氣憤的站起來。

他又跪伏在地，拉著她的裙腳說：

「看他處理成蟜事件的樣子，他還有什麼不敢的？我死不足惜，可惜那兩個孩子。」

「兩個孩子怎麼樣？」她有點心動了。

「我獲罪以後，他一定不會放過這兩個孩子的！」他哀聲的說。

「哼！」太后不再說話，而是慢慢走近窗前。

她眞的是爲難的，再怎麼說，嬴政總是她的兒子，雖然她並不喜歡他。但當她聽到窗外兩個稚子的嘻笑聲，再見到他們和繡兒湘兒玩得興高采烈的那種嬌憨神態，她又不得不重作考慮。

的確，依嬴政凶殘的個性，絕不會放過這兩個孩子，而且事情揭穿，她又有何面目來對天下？

她再回頭看到嫪毒跪在地上的那副可憐相，這幾年這個男人的確給了她有生以來的最大快樂，她不敢想像，沒有了這個男人，她還有什麼幸福可言！

要她再回到那種深宮寂寞，以繡兒湘兒來解決慾望，排遣日子的生活，她寧願死！

沒有這個男人的日子也許比死還難過，她這生只經過了三個男人，在呂不韋面前，前半段她只是他的奴隸，委屈承歡，沒有什麼快樂；後半段，他變成她的奴隸，一心想討她的喜歡，但一個老男人做出那種刻意討好的醜態，往往只能引起她噁心想吐，對他只是飢者易爲食，不得不拿他充飢。

至於那個短命的子楚，那更是不堪回首，她所有的寂寞淒涼，全是由他一手造成！

只有跪在地上這個男人，他給她歡笑，給她刺激，有了他以後，才知道什麼是男人，什麼是男女間的歡娛，也才知道，有了一個自己心愛的好男人，做女人是多麼美好，多麼幸福！

她目不轉睛的注視著嫪毒，不自覺的喃喃著：

「沒有這個男人，我寧願死！」

她不發一語走進帷幕內，在壁櫃的密間裡取出太后玉璽和軍令虎符。

她輕柔的喊著嫪毒說：

「起來，毒郎，哀家的一切和兩幼子的生命，全託付在你手上了。」

嫪毒破涕爲笑的跳起來，抱住太后，在她耳邊輕語：

「卿卿，我絕不會負妳所託，事成以後，妳是掌握實權的攝政太后，我們的兒子是秦王，呂不韋仍然是相國。」

「你不能讓呂不韋知道此事！」太后緊張的說。

「當然，我沒有那麼笨！」說完話他告辭想走。

「你今晚不能留下？」太后哀怨的說。

「來日方長，今晚我回去還得調兵遣將！」嫪毒神氣而興奮的說。

「幾年前嬴政已另製軍令玉符，虎頭符還有效嗎？」太后擔心的問。

「我早注意到這項嬴政的疏忽和呂不韋的抗命，軍令玉符只管調動征外大軍，對內久未用兵，呂不韋也就對改符之事置之不理，我手上的虎頭符至少可調動縣卒、衛卒、官騎和戎、翟諸君的人馬！」

「你以什麼名義發兵？」太后還是不放心。

「有人在蘄年宮作亂，劫持了主上！」嫪毒得意的笑著說。

「劫持主上？」太后不解的搖搖頭。

「攻破蘄年宮，我的家僮和舍人就會劫持主上了！」他又哈哈大笑。

「毒郎，小心行事，最好不要傷害到嬴政，他到底是我親生的兒子！」太后帶點祈求的口吻說。

「卿卿放心，事成以後，我會封個嬴國給他。」

「那樣也好。」太后嘆了口氣。

嫪毒興沖沖的走了。

楚玉太后望著他消失背影的門，久久不知自己到底做了些什麼。

10

在咸陽蘄年宮中，軍機殿的密室裡，燈光明亮，秦王政居中而坐，主持著伐毒國捉拿嫪毒的行動。國尉桓齮一旁侍坐，忙著發號施令，調兵遣將，呂相國沒有接到通知，秦王政不想讓他知道這項行動。

密室內外佈滿了全副武裝的郎中侍中，殿前殿後也是五步一崗十步一哨，警戒嚴密。人數雖眾，整座宮殿卻是鴉雀無聲，一片寂靜肅穆，只有偶爾來的探騎和軍使者，在殿前下馬石前下馬上馬，然後飛奔大殿石階前，高聲報名而進。這時會響起一陣雜亂急速的腳步聲和佩劍撞及腰帶的「叮噹」聲，很快又恢復平靜。

所有的人在殿內殿外，有事都用耳語交談，所有到達下馬石的馬，全都口中銜枚，連嘶叫聲都沒有，來時去時，只聽得見馬蹄敲擊著青石板的聲音在夜風中震盪迴響。

琉璃燈光下，秦王政面無表情，聽著桓齮報告軍情：

「據軍使來報，昌平君率領的虎賁軍幾個時辰前已出發，預計寅時前可包圍長信侯府，發動拂曉攻擊，計劃是在明日午時前完成消滅嫪毒叛逆的任務。」

秦王政此時面現微笑，點點頭說：

「這次派昌平君領虎賁軍，完全不經過一般的軍令系統，嫪毒在朝中的耳目再多，也無法事先知道消息，趙高，你說是不是？」

侍立在秦王政背後的趙高，一臉陰鷙之氣，他聽到秦王政的問話，趕快彎腰躬身，露出諂媚笑容：

「大王所料甚是，可謂神機妙算。」

「不過，據情報得知，因嫪毒叛逆早有謀反準備，門客舍人、家僮奴婢全都實施行軍佈陣訓練，侯府和毒城都興工重建，以陣勢排列抵抗，不可輕視。」桓齮憂形於色的說。

「這點寡人早就知道，他要不是有這麼多謀反逆跡，寡人怎麼會如此大動干戈？你們知道嗎？前日寡人召他面對議事，他竟然敢稱病不奉詔！」秦王政臉上出現微怒。

「他心虛當然不敢奉詔。」桓齮恭敬的說。

「他要是來了，本人或許會死，但不會禍及三族。」秦王政惋惜的說：「看來不滅他的三族，事情不會了結，這也許是他的命。」

「是！」桓齮點頭再轉頭看看壁上掛著的計時沙漏，向秦王稟報說：「寅時已至，昌平君應該是完成了包圍部署了。」

秦王看看對面壁上的羊皮兵力部署圖，桓齮連忙站起，指著地形圖，一一向秦王政解說。

「將軍做得很好，可說是算無遺計，嫪毐逆黨看來是可一網打盡了！」
「多謝大王謬讚。」桓齮謙恭的說。
此時忽聽門外郎中稟報，有探騎求見。
秦王政要趙高帶他進來，一面懷疑的看著桓齮問：
「難道說昌平軍提早發動了攻擊？」
「不可能，」桓齮恭身回答：「提早發動，叛逆很容易在暗夜中乘亂逃脫。」
「那是怎麼回事？」秦王皺了皺眉頭。
「臣虎賁軍左尉王翦參見大王，參見國尉。」
趙高帶進來的不是探騎，王翦這個名字好熟，但秦王政一時想不起來。
在燈光下，秦王政很快打量了一下王翦，三十多歲，全身鐵甲，身材魁梧，神情非常威猛，卻長著一張相當英俊的臉，秦王政一見他就有好感。
「虎賁軍左尉？有什麼事不去稟報中尉和郎中令，直接找到寡人這裡來了？」秦王政溫和的問。
桓齮在一旁想開口叱責，秦王政以手勢制止住他。
「軍情緊急，不得不冒罪越級，郎中令及中尉處，臣已派人通知。」王翦俯首說。

「何事緊急，還不快說？」桓齮是作戰行動實際執行人，凡是有軍情必須先經過他綜合判斷，然後才稟告秦王，部屬越級，他當然不高興。

「咸陽城內已有大批人馬出現，正往王城方向過來！」王翦稟告。

「什麼？桓將軍，哪方面的人馬？」秦王政轉向桓齮問。

「除了擔任城防的衛卒部隊，不應有其他部隊！」桓齮也大惑不解：「臣這面立刻派人去查。」

桓齮步出室外派人去了。

「你的人可曾看清是何方人馬？作何緊急處置？」秦王政命肅立在面前的王翦說。

「在火光下，模糊的看到似乎是咸陽縣的縣卒，另外幾方面據報還發現衛卒、官騎和戎翟君所屬的夷軍。」

「什麼？他們怎麼會集合攏的？如何進得咸陽城？」秦王政怒聲大叫：「領軍的是誰？」

「這個末將就不知道了，末將要他們在原地等候，但他們口口聲聲說是大王遭人劫持，他們是來救駕的，聲言我們要是阻擋，就一定是劫持主上的黨羽，在他們強行衝入以前，末將就飛馬來報，只怕現在他們已和虎賁軍發生了戰鬥。」

正說話間，只見桓齮臉色鐵灰的走進室內，後面跟著郎中令。他稟告秦王政說：

「情況緊急，不知由誰調動的大批人馬，四方八面圍攻王城，請大王在此稍待，臣到城樓上去探看究竟。」

「桓將軍，這是怎麼回事？據王翦說，他們是來護駕救寡人的。」秦王政不怒反笑，表現得出奇鎮定。

「恐怕是太后那邊的虎頭符出了毛病。」趙高在一旁插口說，同時看了看桓齮。

秦王全身震動了一下，隨即平和的向桓齮說：

「這是寡人一時疏忽，只廢掉虎頭符調動大軍的權力，而忘記連調動地方軍的效能都廢掉。」

桓齮明白秦王政是幫他解脫責任，他感激得流出眼淚，不顧沉重的甲冑，跪地俯伏謝罪。

「桓將軍，請起，」秦王政親手扶起桓齮：「情況緊急，我們先上城樓看看究竟。」

「大王，城樓危險……」桓齮急忙勸阻。

「不，」秦王政笑著說：「寡人要這些忠心愛我的士卒看看，寡人並未遭到劫持，他們只是被奸人所利用。」

室外已傳來廝殺聲。

11

秦王政上得城樓，天色還未大明，只見咸陽城中火光四起，煙霧衝天，他明白這是嫪毒的詭計，他要將咸陽城弄得越亂越好，這樣才可以混水摸魚。

他後面跟著桓齮和郎中令秦德及虎賁軍中尉蒙雄，王翦未奉到離開的命令，也就只有硬著頭皮跟上城樓。另外是八名執著長劍和盾牌的護衛，緊緊跟在秦王前後左右，以備隨時抵擋飛來的流矢。

幸虧是王翦見機得快，中尉下令所有虎賁軍都退入內城防守，不然後果更是不堪設想。因爲大部份的虎賁軍都由昌平君帶著攻擊捉拿嫪毒，王城防務可說是甚爲空虛。郎中令下令所有內侍宦者全加入守城，秦王政要他們平時操練軍陣之事，這時發生了莫大效果。

秦王政命秦德喊話，要正面攻擊的指揮官出來答話。城下的部隊清一色黑色戰袍、鐵盔鐵甲，在火把的照明下，辨識得出正是戍守咸陽城的衛卒部隊。

這時候，其他方面的縣卒、官騎和夷軍，不像衛卒是經過嚴格訓練的節制之師，早就在火箭亂放，投石機發出飛蝗石，攻門機撞門，攻擊行動早已胡亂開始。

衛卒部隊剛完成攻城準備，衛卒都尉王竭正要下令攻城，忽聞城樓上有人喊話。

「主上在此！命衛卒都尉答話！」秦德在叫。

王竭剛想縱馬上前答話，只見黑影中一隊人馬趕到，帶頭馬上的人錦袍玉帶，頭戴高冠，正是長信侯嫪毒到了。他不等雙方對話，大喝一聲說道：

「主上被奸人所挾持，不要聽他們的鬼話，趕快攻城！」

「王竭，難道你連寡人的聲音都聽不出來嗎？」

那種狼音豺聲一經擴大，顯得特別尖銳，劃破夜空，在王城四周迴盪，令人聽了毛骨悚然。

「不錯，是主上！」王竭向周圍騎在馬上的部將說。

「不要聽他的，他已經被挾持，孤家奉太后命救駕，趕快攻城！」嫪毒向王竭等人大吼。接著又轉命他帶來的門客和家僮組成的部隊：「放箭！」

強弩勁弓紛紛發射，箭像蝗蟲似的集中飛往城樓，執盾牌的護衛以盾牌形成上下左右護牆。桓齮急忙勸諫：

「大王，玉體要緊，還是到宮內躲一躲。」

「別怕，」秦王神色自若的笑著說：「不趁此機會拆穿叛賊的奸計，今天恐怕要玉石俱焚了！」

箭勢稍歇，接著他又大聲喊道：

「嫪毒，你說寡人被劫持，你說說看，是誰劫持了寡人？」他又轉向衛卒方向喊：「王竭……」

但他底下的話又被另一波箭雨所遮蓋。

嫪毒帶著數十從騎衝到王竭前面，厲聲問道：

「王都尉，爲什麼不攻城？」

「君侯，未弄清楚主上狀況之前，不便攻城。」王竭口氣也甚強硬。

嫪毒恨恨的看著他，沒有任何辦法，想自行攻城，他所帶的門客家僮全是輕裝單騎，根本沒有攻城工具。他只有命令從人一波波的放箭，不讓秦王政有喊話的機會。

桓齮想命城樓兵卒放箭，卻爲秦王政所制止，他說：

「我們這方面放箭，一定會惹起一番混戰，至少王竭會後退到箭的射程以外，那他就更聽不到寡人的喊話了。同時要是有了傷亡，士卒惱恨攻城，更是一發不能收拾，這正中嫪毒的心意。」

桓齮見到秦王政這種臨危不亂、指揮若定的神態，不由他這位身經百戰的老將衷心悅服。

「等天亮後，他們能看得清楚是寡人就好了。」秦王政自言自語。

嫪毒那方面也採取拖延戰術，既然秦王耗在這裡，眞是再好不過，省得他攻進城後，還怕找不到他的下落，當然能現場射死最好，免得王蝎明白過來，陣前倒戈。

他一邊派出傳騎，將各方面攻城情況回報，一邊下令不停放箭，等待著任何一方突破王城，他就可帶著這批親信部隊衝進去捉拿秦王。

在多處攻城行動中，以夷軍的表現最爲積極，因嫪毒和他們達成了協議，只要攻進王城，寶石珠玉任他們掠奪，美女宦者任他們帶回去做妻做妾，或是當奴隸。

他們不但用撞門機撞門，用雲梯爬城，他們更使出特有的絕技，以飛雲索鉤住女牆，就著繩索揉爬上去，輕捷有如猿猴，使防守者防不勝防。

這些夷軍全力攻擊，鼓聲、喊殺聲，驚動天地，震懾人心，他們所攻的朝陽門岌岌可危。

蘄年宮中則到處都是由火箭引發的火頭，經過夜風一吹，火勢蔓延加強，宮女奔逃號哭亂成一片。

秦王皺皺眉頭向郎中令秦德說：

「你下去整理宮中，各就各位工作，哭號亂奔者斬！」

秦德奉命下去，帶著數十名郎中巡視各地，斬殺了十多名驚惶哭喊的宮女宦者，就再也聽不到宮內哭叫，也不再見有人豕奔亂竄。所有的女官宮女安排送水送食，照護傷者，全部宦者和侍中都送上宮牆戰鬥。

「誰去昌平君處請救兵？」秦王政轉臉問桓齮。

桓齮一時未回答出話來，秦王政這時才發現到站在桓齮背後的王翦，他微笑著對他說：

「王翦，你有辦法出去請救兵否？」

「啓奏大王，召昌平君回救，恐怕是遠水救不了近火。」王翦回答。

「依你之見，」秦王政笑笑看著他，鼓勵他說話：「大膽進言，不要怕說錯。」

「依臣之見，只要能使衛卒反正，則王城之圍瞬間可解……」

「辦法雖好，只怕難以做到。」桓齮不以爲然的在一旁插口。

「讓他說下去！」秦王政瞪了桓齮一眼，溫和的對王翦說：「你有辦法嗎？」

「正是，」王翦胸有成竹的說：「衛卒左尉楊端和是臣好友，衛尉王竭與臣也有數面之交。」

「好，你去試試，如有閃失，寡人會封蔭你的家人。」秦王政的口氣，也是不太相信事情會成功，但情況緊急，也只有死馬當作活馬醫了。

「請大王賜臣憑證。」王翦拱手俯首行軍禮。

秦王政想了想，取過桓齮的佩刀，割下王袍的一角，咬破了中指，滴血寫道：

「如寡人親臨。」

接著他從懷中取出隨身攜帶的密璽蓋上，交給王翦說：

「寡人和秦國的命運全交託將軍了。」

12

王翦將秦王政賜的大宛汗血白馬牽上城牆，然後用數根粗壯繩索綑住馬腹，再以數十兵卒的合力，將他連人帶馬從城角的陰暗處放了下去。

他身騎白馬，手執白旗，口中大喊：

「王翦奉大王命，前來談判！」

嫪毒正要叫人放箭，王竭制止住他。

「兩軍交戰不斬來使，何況他只單人匹馬。」他轉臉向一旁的左尉楊端和說：「你上去看看，接他過來！」

楊端和聽得是王翦來了，早就想迎上去，一得軍令，兩腿一夾，座下五花馬急衝而出。

兩人在半途中停下，馬上輕聲交談。王翦先將秦王政血詔給楊端和看了。

「血詔不假，」楊端和說：「但說不動王竭，更制止不住嫪毒。」

「爲什麼？」王翦催動馬，和楊端和並轡而行。

「嫪毒一心要置主上於死地，口口聲聲說他是被劫持，主上現在說什麼都是不能算數的。」

「那王竭呢？」

「他忠於太后和呂不韋，當然最後會聽嫪毒的，因爲嫪毒用的是太后玉璽的詔命，說是要解救主上。」

「那依你之見呢？」王翦說：「我敢單人匹馬來，主要是因爲你在。我死不足惜，嫪毒成王，秦國不堪設想。」

「擒賊先擒王，我回去建議召開攻城最後協調會議，乘機制住王竭，你找機會刺殺嫪毒。衛卒將領中還是忠於主上者居多。」

「事成主上一定有封賞。」

「『如寡人親臨』，你現在的話就是主上的話，」楊端和笑著說：「但我們是在行險招，能活命時再說吧！現在我們要快馬回陣，免得嫪毒和王竭起疑。」接著他大聲高呼：「跟我來！」

楊端和一馬當先，領先回陣，王翦白馬緊緊跟隨。

「原來是你，王將軍。」在火光下，王竭一眼認出是王翦。

「正是末將。」王翦在馬上行了軍禮。

「宮內主上情況如何？」王竭問。

王翦還未來得及答話，楊端和已接了過去：

「主上原來眞的遭到劫持，末將建議召開最後協調會議，討論攻城最後部署。」

「主上眞的被劫持？」王竭轉向王翦問：「帶頭者是誰？」

「主上情況的確危急，帶頭者爲一閹者，末將亦不知其姓名。」王翦有意無意看了旁邊的嫪毒一眼。

這時楊端和已派出傳騎召集到步、騎、車及器械隊各少尉，習慣上是由副將左尉主持會議。

楊端和首先傳閱了秦王政的血詔，然後大聲說：

「主上的確被人劫持，但劫持者並非別人……」他以佩刀指指一旁的嫪毒，反手佩刀已架在王竭的頸子上。他又大喝著說：「各部少尉聽令，奉大王詔，衛尉王竭昏庸，著即拿下！並合力殲滅叛軍，捉拿首逆嫪毒！」

幾個王竭的親信護衛上前來救，王翦一刀一個，全都了帳，其餘的也都不敢再動。各部領軍少尉見過血詔，當然無話可說，楊端和隨即命人將王竭綑綁在馬上，王竭大呼冤枉。

「等見到主上，你當面解釋吧，」楊端和笑著說：「目前末將只有得罪了。」

王翦再尋嫪毒時，只見他帶著一夥人逃奔正陽門夷軍去了，他單人匹馬追趕，嫪毒的門客家僮數十人回身抵擋，王翦左突右衝，刀起刀落連殺十數人，但終於讓嫪毒逃脫。

這邊楊端和重新分配任務，除了留守少數車卒隊外，全都分兵側擊攻城各叛軍，並命一路喊話招降。

此時天已大亮，叛軍聽到喊話，紛紛棄械投降。夷軍見大勢已去，紛紛向西撤退，只見西邊又出現大批虎賁軍騎兵，原來是昌平君攻下長信侯府後，發現嫪毒率軍先至蘄年宮，趕快率騎兵回程來救。

秦王政在城樓上親眼看到事情的進行，又見王翦白馬白刃，在敵陣殺進殺出，有如猛虎入羊群，他忍不住對桓齮等人說：

「王翦眞是一員智勇雙全的虎將！」

這時候他才想起，父親莊襄王臨終時，曾遺命注意培植這位將才，難怪名字這樣熟。

經過衛卒部隊和昌平君回師的虎賁軍夾擊後，各路叛軍紛紛撤離王城，各自在咸陽城民屋設防，負隅抵抗，尤是縣卒和官騎明白秦法嚴峻，沒投降者在民間大事擄掠，準備搜括點逃亡的本錢，搶完了就放一把火，燒得精光，對婦人女子更是不肯放過，燒殺姦淫擄掠乃是敗兵臨死前的享受和報酬。

咸陽巷戰經過了兩夜一天，總算平定下來，蘄年宮傷痕處處，咸陽城近乎半毀。

經過清點，死傷兩千多人，重犯衛卒領軍衛尉王竭、縣卒領軍內史劉肆、官騎領軍佐弋張竭、中大夫令陳齊等皆生俘，就是不見了嫪毒。

秦王政下令，這些謀反重犯下廷尉治理審問，待首犯嫪毒逮捕一併判罪。

有功者先行賜賞——

昌平君反應靈敏，回軍快速，及時救駕，加封食邑三千戶，連同前二萬戶，共食邑兩萬三千戶。

國尉桓齮，秉性忠義，自始至終，與君共難，著進爵兩級，由左更進至少良造，升任大將軍。

虎賁軍左尉王翦智勇雙全，臨危不亂，挽轉狂瀾，著進爵三級，由不更進爵爲公大夫，升任虎賁軍都尉。

衛卒左衛楊端和，生性聰慧，見機而作，反亂爲正，著進爵三級，由上造進爲五大夫，升任衛尉。

侍中趙高，其志忠純，危時護駕，隻言釋疑，著升車府令。

其餘參戰人員，連同宦者皆進爵一級，並厚予金帛賞賜。

同時下令全國——

有生擒嫪毒者得賞錢百萬，殺之者賜錢五十萬。

另派人馬守住雍地大鄭宮。

但嫪毒卻像輕煙似的消失無蹤，儘管官家民間、軍隊百姓，人人日夜都在注意搜查。有些聰明人卻並不盲從這股風潮，他們知道，除了雍城的某個地方，就算翻遍秦國每寸土地也找不到嫪毒。

秦王政還是擺不脫投鼠忌器這個老問題。

第10章 殺父逐母

1

雍地大鄭宮一間密室裡，嫪毐正在和太后訣別。

太后滿臉淚痕躺在嫪毐懷裡，不斷親吻著他英俊的臉。

「毒郎，你逃不掉的，嬴政懸賞，生得你者錢百萬，殺者五十萬，全國軍民都在追捕你，你想逃到趙國要經過多少關卡和危險。」

嫪毒沒有聽她說話，而是陷入自己的思潮裡。

「毒郎，你不要走，大鄭宮這樣大，任何一處地方都可以藏得下你，你到底在聽我說話沒有？」

太后吻到他耳朵時，狠狠的咬了一口，他痛得跳坐起來，有點不高興的說：

「太后，到這種時候，妳還有心情開玩笑？」

「我說什麼你聽到沒有？」

「說來說去還不是那句話，要我不要走！」

「眞的，你不能不走嗎？嬴政不敢到這裡來搜，我到底是太后。」

「太后又怎樣？他還不是照樣派人包圍妳的住處，他咸陽的事一處理完就會來搜查這裡，我不能待在這裡等死！」經過前番挫折後，嫪毒又恢復了市井流氓的神氣。

「你捨得我，難道捨得兩個孩子？」

他看了看她哀痛欲絕的表情，心裡在想——我這樣年輕，只要有女人，生一百個、生一千個也不是不可能，命都沒有了，還管什麼孩子！但他口中卻說道：

「卿卿，孩子是我們的骨肉，我怎麼會捨得？只是事到如今，我不走不行，相信妳會善加撫養這兩個無父的孩子！」

說完話，他眞的還從眼角擠出兩滴眼淚。

「唉，男兒本應志在天下，我無法阻止你，但眞的捨不得！」太后是眞的哭了起來。

「卿卿，這次舉事失敗，但不表示我再爬不起來。」嫪毒抱住太后，用衣袖輕輕爲她擦去眼淚，心裡卻在想——女人哪有這麼多眼淚？尤其是老女人，哭起來實在令人討厭。

「毒郎，我不敢想像，沒有你的日子我要怎樣活下去！」太后在他懷裡抽泣著說。

「抱著希望等我回來！」他親吻著太后臉上的淚水，充滿感情的說。但心裡好笑的想——沒有我三十多年，還不是活得好好的？還有湘兒，還有繡兒，還有數不清的女官宮女都可以召來陪妳。

「行囊都準備好了，在密道的出口處有匹駿馬在等著，行囊裡有足夠的金玉珠寶，不但足夠你到邯鄲，還夠你在趙國結交朝野，雖不能再像今天這樣列土封侯，至少還可圖再起。」

太后又拿出一套平民衣服要他換上，然後遞了張通行證給他說：

「這是呂相國從咸陽令那裡找來的，記住，今後你叫江祿了，你是到趙國去探親的，其他事情你可以看通行證上記載，切記熟記身份！」太后一再叮嚀。

嫪毐含淚跪伏在地，叩頭說道：

「太后對我如此恩義，嫪毐粉身碎骨難以報答。」

他心想的是——人老了就會變得嘮叨，老天！早一步離開這裡早一點安心。

「毒郎，我們雖然沒有夫妻之名，卻有夫妻之實，這是我應該做的。」她將他扶起，又投入他懷裡，雙手圍住他的頸子，仰首叮囑：「財不露白，那些珠寶全都密封在馬鞍裡，馬鞍本身也是黃金打成。」

「卿卿，我知道了！」他柔情蜜意的親吻著她。心裡卻在想——那點東西算得了什麼？難道只有你和呂不韋才知道狡兔三窟？在趙國和齊國我所置的產業和事業，和陶朱公比起來也不稍讓。

最後太后滿滿倒了兩杯酒，拿了一杯給嫪毐說：

「臨別心碎，沒有心情設筵給你送行，謹以薄酒一杯爲你祖道！」

嫪毐接過酒杯，心中滿懷狐疑——這個老女人在耍什麼花樣？難道她想毒死我？但他依然跪下舉杯，口中說道：

「謝太后，我們一起乾杯，以此爲太后壽！」

趁太后舉杯喝酒時，他以袖子遮掩，整杯酒全倒入了袖口。

他再裝著以袖擦淚，將臉擦得彷彿是滿臉淚痕。

外面湘兒來報，天色不早，長信侯該上路了。

「讓我送你一程！」太后將他扶起，感動的說：「毐郎，你哭了。」

湘兒手執燈籠在前帶路，太后居中，嫪毐緊扶著她。黝黑的密道曲折而漫長，時間久了未用，裡面充滿了令人窒息的霉氣。在他們經過時，頭上有成群的蝙蝠飛起，尖叫聲此起彼落，腳下無數蜥蜴類小爬蟲紛紛逃避，發出索索的聲音，令人毛骨悚然，頭皮發麻。湘兒也時時發出驚嚇的輕聲尖叫。

太后緊依在嫪毐懷裡，慢慢一步一步探索著走，儘情享受這片刻的溫存，雖然周遭黑暗有如鬼域，在她的感覺卻比天堂還要溫馨。

「這條密道在前好幾代先王建築大鄭宮時就有了，我還是偶然間見到建築圖才發現，這多年不用，想不到讓你用上！」太后嘆了口氣說：「我現在衷心感覺，什麼權勢榮華全是假的，只有和喜歡的人長相廝守，才是人間至福！」

嫪毒的感覺和她完全相反，只覺地道漫長，好像永遠走不完似的，他只盼望趕快走出地道，呼吸一口新鮮空氣，若有幸能通過層層關卡回到邯鄲，那才是幸福的開始。

地道的出口是一座大石墓，上面刻著××大夫之墓，字跡斑剝模糊，在暗夜中更看不清楚，看樣子也是僞裝的假墓。

果然在祭台邊一棵大樹上繫著一匹全黑的駿馬，馬鞍行囊全都配備好了。

嫪毒望著滿佈繁星的夜空，深深的吸了一口氣，太后又緊緊的擁抱他，淚沾濕了他的臉。

「上路吧，這裡已完全脫離了虎賁軍監視範圍，放心去吧！」太后輕輕推開他。

嫪毒上馬以後，才發現那把劍鞘鑲著明珠的佩劍仍然掛在腰上，顯然與他目前的身份不配，他取下來交給太后說：

「留作紀念，等下妳們回去的時候，地道中遇到什麼爬蟲，也可用來防身。」

太后又是感動得流淚，她緊捏著他的手說：

「毒郎，你眞好，這種時候還想著爲我打算。」

嫪毒縱馬急馳而去，沒有再回過頭。

太后佇立原地，直到看不見馬的黑影，仍捨不得離去。

2

秦王政親率人馬來到大鄭宮，目的是要搜查嫪毒的下落，他和很多人一樣，相信除了大鄭宮以外，任何地方都不能讓嫪毒藏這樣久。

他端坐在轀輬車上，心情一直不寧，他不知該如何面對自己那位淫蕩的母親。

中隱老人昨天的話如今又在他的耳畔響起：

「我對你的問題不想回答，只想告訴你一個故事。

從前齊國一個士人家中患鼠，衣服用具咬壞不說，夜夜跑到他床上打架吵鬧，甚至在他頭上拉屎撒尿，這才是他最受不了的事。有一天他忍無可忍，半夜起來打老鼠，打死了不少，可是最大最凶的一隻老鼠卻逃進洞裡去了。本來，那天晚上，他只要用水灌，或是用煙薰，就一定能將那隻大老鼠逼出來。

可是那天他太累，想睡覺，又怕灌水會損壞地基，火薰會薰黑室內的家具，於是他將鼠洞塞上就不再管牠。誰知過了幾天，他越想心越不安，有天他終於要鄰人幫忙，用水灌、用火薰，卻薰灌不出那隻老鼠，他一氣之下拆掉牆壁，才發現大老鼠早利用這幾天時間，另打通道跑掉了。」

「老爹的意思是這個人最後不該拆牆抓老鼠？」當時他問。

「我只說故事，不回答問題，自己去找答案！」老人又閉上眼睛，這表示他該走了。

如今大鄭宮已在望，等下是不是要和太后拉破臉皮？還有嫪毐那兩個孽子該如何處理？事到如今，要抓這隻大老鼠就得拆牆，就得和母親決裂，讓她的醜事傳遍天下，但不抓到這隻老鼠，他於心不甘，也無法向全國百姓交代。

「王子犯法，與民同罪。」這是秦國立法的根本，也是爲什麼秦國短期內能如此強大的基礎。他就讓嫪毐躲在太后那裡逍遙，他將如何面對百姓，今後如何要求百官嚴格執法？

這時先行郎中回馬來報，太后在便殿接見大王。

秦王政踏進佈置雅致精巧的便殿，只見太后盛裝朝服端坐中央几案前，後方左右侍立著湘兒繡兒，懷裡卻抱著兩個粉雕玉琢似的孩兒，他們瞪著眼睛，驚惶的看著單身進殿的秦王政。

「孩兒向母后請安。」秦王政跪倒在地行禮。

「起來坐著說話。」太后淒然的笑著說。

「謝母后。」秦王在一旁侍坐。

「王兒難得到大鄭宮，今天一來就帶了如此大隊人馬，有什麼事嗎？咸陽之亂是否已完全平定？」太后神情鎮定，若無其事。

「孩兒據報，亂賊嫪毒藏身大鄭宮……」

「所以你就親自帶兵來搜了？」太后聲音加厲。

「不敢，只是怕叛逆驚動母后。」

「孩子，眞人面前不要說假話，嫪毒這多年來侍候哀家，日夜都在我身邊，這是全國乃至天下人皆知的事，如今他卻已不在此地，你怎麼搜都可以。」太后冷靜的說。

「多謝母后。」秦王政連忙用道謝扣住她，隨即大聲向殿外喊：

「來人！」

王翦和趙高二人應聲而至，兩人先參見太后行禮：「微臣王翦、趙高參見太后！」

「王翦，是你！」太后笑著說：「先莊襄王常向哀家提起，你是個可造的將才，這次平亂你是嶄露頭角了。」

「謝先王和太后賞識！」王翦跪地拱手行軍禮。

「還有你，趙高！」太后厭惡的看了他一眼，但接觸到他猥瑣的臉和怨毒的目光時，她的心猛然一震，浮起一種不祥的預感，底下的話說不下去了。

「太后，正是奴婢！」趙高言外有意的說：「多謝太后的賞識和提攜！」

太后皺皺眉頭，體會出他的絃外之音，但不知該說些什麼。

然後二人起立，站在秦王政面前待命。

「王將軍，你部署兵卒，搜遍大鄭宮，一草一木都不得放過，寡人已得到太后的准許。」

秦王政轉臉看看太后，看不到一點慌張神色，他在心中暗喊不妙，看情形今天會像老人所說的，大老鼠已打通別道逃掉了。

王翦領命帶兵搜查整個宮殿，密室複壁全都查出來了，就是找不到嫪毐，最後有一些兵卒發現複壁中那條密道，一直追查到那座僞墓外面。王翦判斷嫪毐一定已從這裡逃走，所以先前圍宮的虎賁軍全無發現。

整整搜了一個上午，王翦才來向秦王報告這項發現。

在這段時間裡，秦王母子二人有話沒話的閒聊，趙高則臉色陰沉的侍立在秦王政後面。

聽完王翦的報告後，秦王政失望的站起向太后告辭：

「母后，孩兒有所得罪，還望恕罪。」

「公而忘私，爲天下作表率也是應該的。」太后笑著說。

3

秦王政正想帶著王翦和趙高離去，忽聽到趙高陰陽怪氣的聲音在耳邊響起：

「這兩個孩兒多可愛，粉雕玉琢一般。」

秦王政猛然驚覺，暗道慚愧，只想著搜查嫪毒，卻忽略了眼前這兩個餘孽。他轉身向太后問：

「這兩個孩兒是什麼人？」

「哀家宮中寂寞，收養作伴的兩個無父無母的孤兒。」太后裝得毫不經意的說。

秦王政看看趙高，意思是問有什麼辦法。

「啓稟太后和大王，」趙高躬身說：「按照秦律，宮中不准收留非王室血統子女，如要認養，需得宗正召開宗室會議決定。」

「這兩個孩兒，大的哀家已養了四年，你說應該怎麼辦？」太后賭氣的說。

「回稟太后，按律應帶出宮，交宗正代管。」趙高一本正經怪聲怪氣的回答。

「王翦，趙高，」秦王政下令說：「將兩孩兒帶走交宗正處理！」

「是！」兩人同聲回答，上前來抱孩子。

本已驚惶害怕的兩個幼兒，此時放聲大哭，緊緊抱著太后母親大叫：

「娘，壞人要抓我們！娘！」

王翦手快，趙高也不慢，幾個拉扯以後，就已將孩子搶到手，太后護犢心切，站了起來，厲聲叫道：

「嬴政，他們和你一樣，都是爲娘所生，你想怎麼樣？孩子還我！」

秦王政乾脆轉過身去不理，只低喝了一聲：

「走！」

「湘兒，繡兒，快上來搶孩子！」太后此時爲了搶趙高手上的幼子，已拉扯得鬢髮零亂，衣衫不整。

湘兒繡兒站在原地，呆若木雞，不知該如何做。

太后又驚又怒，這時她已完全忘了太后的身份，她只是母親，就像一頭不顧一切保護幼獸的母虎，她連哭帶喊的說：

「孩子無辜，還我孩子！嬴政，他們是你的兄弟！」

她這幾句話等於承認兩個孩子是嫪毒的。

「趙高，這該怎麼辦？」秦王政左右爲難，有點徬徨失措。

「按秦律，謀逆者滅三族，但宗室所下嫁之女不是主謀者可免！」趙高這下可抓著爲蘭姨被活埋以及自己遭閹的報仇機會，而且這種機會稍縱即逝，永遠不會再有。

秦王政此時也想到，這種事必須當機立斷，否則越理越亂，他沉聲說：

「王翦，趙高，你們知道該怎麼辦了！」

「奴婢遵命！」趙高趁太后在和王翦糾纏時，拔出佩劍一揮，手上幼兒的頭隨即落地，血噴得趙高一臉一身，屍身也丟到地上。

「兒子！」太后厲聲哭叫，搶過來抱著幼子屍體痛哭。

「王翦！」秦王政又低喝著。

王翦佩刀在手，卻是兩手顫抖，殺不下去。

秦王政見到太后放下幼子屍體，奔過來要救這個大兒子，他只得奪過王翦佩刀，當胸一刀刺個對穿。

太后撲上來抱著秦王政滿頭滿臉的亂咬，口中還嘶喊著：

「嬴政，還我兒子！嬴政，你這個沒有心肝的野獸！」

「娘，冷靜點，」秦王政輕拍著太后的背：「只有孩兒才是你眞正的兒子！」

太后跌坐在地上，兩眼呆望著秦王政，眼神空洞好像不認識他一樣。

王翦命幾名虎賁軍進殿收拾屍體，太后又站起來撲向兩子屍體，沉聲說道：

「放在原地，哀家自己會處理！」

她又恢復了太后的威儀。

秦王政轉臉向始終呆立在原處的湘兒、繡兒說：

「好好照護太后，若有閃失，妳們明白後果！」

然後他向王翦等人低喝一聲：

「走！」

秦王剛走出便殿，又聽到太后的哭號，那不像人的聲音，像是失去幼獸母狼的哀嗥。

「王將軍，」秦王政在上車時命王翦說：「此宮人員不准進出，包括太后在內！」

4

嫪毐出得地道，辭別太后，縱馬狂馳一段路以後，將馬放慢，心頭浮起些許淒涼意味，回首往事，彷彿一場還沒有完全清醒過來的夢。

前不久他還是太后的專寵，擁有河西太原郡改制的毒國，宮室、車馬、衣服、苑囿幾與秦王同，私下裝飾之美更有過之而無不及。

但這一切如今都已成爲過眼雲煙，消失得無影無蹤。

馬行到一處十字路口，天已大亮，他下得馬來，折騰了一夜，人疲乏已極，他得睡一會再決定行止。

他將馬牽入一處樹林，取下行囊，才發現太后對他的體貼眞可說是無微不至，不但換洗衣物應有盡有，而且連日常應用的碎金子和銀子都爲他準備好了。

另外還有一張羊皮地形圖，精確的繪出咸陽至邯鄲的路線，分成官道和山間捷徑，各處關卡也都明白列出，顯然是專家的手筆，圖上並有一條路線，標明如何利用山徑繞過關卡，通過函谷關山區，到達洛陽。屆時他就像鳥飛出鳥籠，可以自由在天空上翺翔。

看過地圖，他心安不少，喝了點水，吃了點乾糧，仰躺著欣賞一會藍天白雲，想了片刻太后對他的種種好處。他感覺奇怪，爲什麼這個老女人（他在内心中總是如此稱呼太后）對他這樣好，他卻一點也沒眞正喜歡過她？

也許這並沒有什麼好奇怪，在趙國邯鄲市井，他就以大陰人出名。倡女歌伎、富室怨婦、後宮受冷落的妃姬，全都是自動找上他，爲他爭風吃醋，甚至是呑藥上吊，都是司空見慣的事，當然他不會迷上任何一個女人，他總覺得女人好煩！

肚子飽了，心一放寬，不知不覺就睡著了。以前當浪蕩子時，他常和女人在田間野合，在樹林中睡覺的經驗很多，今天重溫，滋味特別好。好久他都沒有這種人與大自然實際相接，青草芳香就在鼻前盪漾的甜美感覺。

不但睡著，而且還做了很多夢：一會夢到在天上飛；一會又夢到自己到達了邯鄲，變成類似呂不韋和陶朱公的人物，掌握了趙國和齊國的經濟大權；一下夢到自己又回到太后身邊，說是秦王已赦免了他，只要他今後忠心，既往不咎，他又得到過去的一切；一下卻夢到身在刑場，刀砍下來，頭落地，卻不怎麼痛。

就這樣醒醒睡睡，夢醒了又入夢，等到他眞正醒來，天已全黑。

他想起圖上的附註，要他夜出晝伏，盡量找三家村的偏僻人家買水買乾糧，因爲這些地方的人大都與外界隔絕，根本不知外事。

他牽著馬往四處望，遠遠看到樹林外有一家孤伶伶的燈火在閃爍，他想那裡的人家不會多，很合乎這個要求，他想補充點飲水和乾糧，好在夜間趕路，繞過咸陽。

這裡山邊只有一戶人家，最近的鄰居都在五十丈外，他上前敲門，沒有人應，木門卻是虛掩著的。有燈火，門虛掩，表示主人必在近處。他在院子裡找到水缸和桶，他先打桶水讓馬喝，並將黑馬繫好。

他走進屋內，想找主人問話。只見一幢茅屋隔成三間，後面添加了一間廚房，中間堂屋供有祖先牌位，倒也收拾得相當乾淨，他遠處看到的火光，正是祖宗牌位前的油燈。他就近一看，知道了這戶人家姓江，算來也是秦國的國姓，怎麼如今淪落爲平民？因爲士一廟，大夫三廟，諸侯五廟，天子七廟，祖宗牌位不會供在家裡。

嫪毒新敗之餘，竟也興起滄海桑田之嘆。

正在他遲疑是否要再等，忽聽得後面廚房裡有水聲。

5

他邊往後面廚房走，一面出聲問：

「家裡有人嗎？」

只聽水聲暫停，一個清脆的女人聲音說：

「是誰？不要過來，我正在洗澡。」

「過路的人，想買點水和吃的。」嫪毒回答。

「在前面等會，我洗好就出來。」這個女人說話聲音鼻音很重，富於磁性。

依嫪毒的經驗，有著這種聲音的女人，不管是否好看，全都是淫蕩成性，對男人有著莫大的吸引力。

「哦。」他答應了一聲，裝著向屋前走，卻又躡手躡腳，輕步向廚房摸索而去。

這就是呂不韋所說他的賊性難改，偷看民婦洗澡，乃是他年少時最愛的嗜好，這幾年已沒有這個必要，也等於是說沒有這個機會，如今在逃亡中，遇到這種機會，他忘掉身處危境，竟又賊性大發。

他從廚房門板的破縫中看進去，只見黯淡的燈光下，一個赤裸的背影對著他。雖然光不夠亮，但仍然看得出這女人的皮膚相當白皙，臀部和大腿渾圓豐盈，小腿挺直，肥瘦適中，頭髮上捲，露出細白的頸子，用布擦背時，纖細的腰和高聳的臀轉動，就像在跳著最美妙的舞。

嫪毒幾年來都是太后的禁臠，不許他碰任何女人，連湘兒繡兒和他們四人連床嬉戲時，他也只有動動手的份，其他的女人更不必說了。周圍那多美麗性感的女人，他只能供供眼皮，看得到而吃不到。

如今一見這個活鮮鮮的野味，不禁食指大動，男性的慾望像火遇上油似的，一發不可收拾。

他怕看得太久，爲那女人發覺惹出麻煩，又輕手輕腳的回到堂屋坐下等著。

沒多一會，女人出來了，嫪毒第一眼看上去有點失望，臉上膚色沒有身上那麼白皙，五官也只普普通通，談不上姿色。可是看到她走路時扭腰擺臀的姿態，他心中那股慾念卻燃燒得更旺，這個女人不但洗澡會跳舞，連走路都是拐誘男人、引發男人情慾的舞姿。

「先生，要你久等了！」她笑著說，眼神似乎露出驚詫和豔羨。

嫪毒對自己的貌美體健和男人魅力，乃是絕對有信心的，昔日走馬邯鄲，哪次不是有眾多女人從街旁樓上，偷偷的用鮮花水果丟他！這個鄉下女人當然不能例外。

嫪毒從袖口袋中取出一小塊金子，雙手遞交過去：

「敝姓張，為邯鄲小商人，因貪圖趕路，錯過宿頭，想請大姊行個方便，隨便弄點吃的，找個地方讓小的胡亂睡一宿。」

「你是邯鄲人？」女人驚喜的問，拒絕了他的金子。

「正是，大姊聽小的口音，就可知道不是秦國人。」

「妾身也是邯鄲人，」女人改以標準的邯鄲口音說話：「我丈夫也是來往秦趙兩地的小商人，在邯鄲和我結識，娶了妾身以後就將我帶回到這裡，算算也好幾年了。」

接著她問了些邯鄲的現況，嫪毒照著前幾年的情形回答，她也就真相信他是來往秦趙的小商人。親不親故鄉人，再加上和他丈夫同行，女人顯得特別親切和高興。

談了一會，女人想起什麼似的說：

「我丈夫日前剛好去邯鄲，一去最少要一個多月，家裡沒有其他的人。我去幫你弄點吃的，你應該有坐騎吧？我也會幫你餵，我們同鄉異地相逢，張先生就不要客氣了。」

「不，馬還是讓我自己去餵，大嫂只要告訴我草料在哪裡就可以了。」

嫪毒餵好馬回來，女人已將飯菜都在堂屋裡擺好了，四碗菜，葷素都有，外加一碗冒著熱氣的湯，全都是趙國的菜式，而且做得非常精緻悅目。嫪毒忍不住「咦」了一聲，誇讚著說：

「想不到大嫂還燒得一手好菜！」

「不瞞張大哥說，我家原來就是在邯鄲開客棧的，十歲跟著父親學，十二歲就獨當一面做大廚子。」女人媚笑著說，張先生也改口成了張大哥。

女人又拿出一罐好酒為他斟滿，兩人一邊喝酒吃菜，一邊聊得非常投機。酒為色媒，加上兩人都有意，莫名其妙的由對面而坐變成了並肩疊腿而飲，糊裡糊塗的由互相舉杯為壽，變成女人用嘴餵他喝酒。

「張大哥，你的手好美，比我們女人家的手還要白嫩！」她撫摸著嫪毒的手，同時欣賞著他手指上戴著的一只翡翠戒指。

這只翡翠戒指乃是太后送給他的定情物，據太后說成色質地之好，天下還找不到第二只，當然他不能告訴這個女人。

幾杯酒一下肚，兩人情慾如同野火，形成一發燎原之勢，等不及收拾飯桌，就收拾到臥室床上去了。

雖然此女姿色平庸，但飢者易為食，幾年來除了做那個老女人的性奴隸以外，他沒有交合到第二個女人，今夜首次開戒，滋味有說不出的新鮮甜美，尤其是這個女人床上功夫不壞，很能夠配合。她也是曠廢已久，貪心得很，遇到嫪毒這種內外俱美的男人，更是奮不顧身，不知道什麼是累。

最後激情過去，他轉身而睡，迷糊中覺得女人自己穿好衣服，又在幫他穿。

「也許她是怕外人進來發現到不好。」他昏沉沉的想，隨即眞的睡著了。

他接連做了很多美夢，一個接一個，但最後的一個夢卻不好。他夢到自己獨自行走在一座荒山上，突然路旁草叢中爬出一條大蛇，眼如銅鈴，頭大如小籮筐，牠緊緊的綑住他，紅紅的蛇信就在他臉上舔，蛇涎滴在臉上，好黏！他拚命掙扎，大喊救命，最後醒過來，發現自己像綑粽子一樣，從頭到腳都被繩索綁得緊緊的。

他的四周圍滿了人，這荒郊野外，怎麼會一下就冒出這麼多人來？

那個女人拿著一盞燈照著他的臉，向周圍的人說：

「一看到他，就知道他是嫪毒，我在邯鄲客棧樓上曾用鮮花丟過他，他連望都不望我一眼！」

眾人發出一陣哄笑。

一個白鬍子老頭彷彿里正類的人物說：

「江大嫂，這下妳可發財了，賞錢百萬，不過總也得拿點出來分給我們這些幫忙的人！」

「就拿二十萬出來給大家分，不過還要勞動各位將他送到咸陽去。」她興奮的搔首弄姿，嫪毒看清自己的翡翠戒指已經到了她手上。

眾人又是一陣歡呼。

她趁眾人不注意，裝著察看什麼，俯下身來吻了他嘴一下，細聲的說：

「這只戒指留給我做紀念，我們總算是一夜夫妻！」

「我靠女人起家，也敗在女人手上，這是命該如此，還有什麼話好說！」他也在她耳邊小聲回答。

最後他閉上了眼睛，聽候這些鄉下人的擺佈。

6

廷尉結案上奏，秦王政批准——

嫪毒領軍謀反作亂，判車裂之刑，當誅三族，但嫪毒隻身在秦，無族可誅，罪其舍人門客。曾隨同謀反者，一律梟首，未從者罰勞役三年，爲宗廟提供燃薪。

從犯衛尉王竭、內史劉肆、佐弋張竭、中大夫令陳齊皆梟首，滅其宗族。

廷尉反覆追究治理，此案株連者達四千家。凡是和上述人員有親戚關係或近日有應酬餽贈來往的，全部奪官去爵，貶居蜀中。

同時秦王政下令，嫪毒行刑時，由相國呂不韋監斬，秦王本人將親臨觀刑。這是因爲他恨透了嫪毒，也是給呂不韋增加心上壓力。

廷尉及李斯已蒐集足夠證據，證明呂不韋事先知道嫪毒謀反，隱匿不報，並且在嫪毒行囊中搜出他逃亡所持通行證，乃呂不韋命咸陽令所發。

同時，按秦律，嫪毒乃呂不韋所引進保介，嫪毒犯罪，他當連坐。

最使秦王政觸目驚心的是，他尚未決定如何處理呂不韋，朝中大臣就紛紛上奏力保，各國國君及權要都派使者來說情，民間發動請願，希望免呂不韋罪者，更是日有數起。

秦王政研究發現，呂不韋的勢力不但遍佈秦國內外，而且已深植民間各個行業；不但是官僚體系，而且是士、農、工、商各個階層。

因爲他不只是相國，也是大地主、大工業家、大商人和知識份子精神上的領袖。他會賺錢，也會用錢，他利用權勢賺來的錢，再用來收買人心，增加他的權勢和影響力。不除掉呂不韋，實際上秦國不是屬於他嬴政的。

不過，他現在不願動聲色，先處理掉嫪毐再說。

7

幾個月來，咸陽城可說是天翻地覆。

先是五月的嫪毐之亂，咸陽城百姓死傷上萬，房屋半毀，好不容易逐漸平靜恢復原貌，接著又是審查嫪毐反叛案，日夜偵騎四處抓人，凡是和嫪毐及叛黨沾上一點關係的，莫不人人自危。而嫪毐得寵多年，又喜歡交遊，靠山又是當今太后和相國呂不韋，與他有拉扯關係的當然不在少數，再加上從犯都是些領軍軍官，長官部屬及家人的關係更是一大片。

因此，幾個月來，咸陽城內幾乎是天天都在抓人、審案或是捕捉逃亡者。

好不容易嫪毐的案子審結了，接著就是每天殺人。

以往殺三個五個都是在北門市場街口，現在一殺就是一家百餘甚至數百口，地方不夠，不得不改在北門城外大校場，看殺人幾乎變成咸陽人每天的例行娛樂，有關被殺者的謠傳和生活背景，也成為咸陽人飯後茶餘聊天的資料。

接下來是看南門被謫到蜀中的人潮，送別的、祖道的，飲宴日日不斷，雖說是遠貶蠻荒邊地，但比起人頭落地、血染刑場，算是要幸運多了，卻仍少不了朋友流淚、親人哭啼。

咸陽城幾個月來都生活在心驚膽戰和愁雲慘霧裡。

加上天氣劇變，十月天氣，沙漠方面的西北風提早吹來，竟是天寒地凍，街頭出現凍死的餓莩。

今天又是個殺人的大日子，而且要殺的是首惡嫪毒，用的刑法是秦律中最嚴厲的車裂之刑，也就是俗稱的「五馬分屍」。這種車裂又分成兩種，一種是先斬首而後分屍，一種則是活活生裂，後一種是秦國的極刑，很多年難得看到一次。

再加上嫪毒是名聞天下的美男子和男人中的男人，又是太后的專寵，咸陽和附近幾個城的百姓全都慕名而至。

由於秦王政要親自觀刑，大校場建了一座坐北朝南的大看台，形式和宮中朝殿相似，乃是為秦王專設的。兩邊各設一看台，坐東朝西的是監斬官呂不韋所用，另一座看台則是為秦王指定來觀刑的大臣所設。

辰時開始，數萬虎賁軍就開始佈置警戒，由蘄年宮一直佈置到刑場，鮮明的盃甲、武器和旗幟，在灰暗冷寒的天空下，仍然顯得兵強馬壯，精神抖擻。

秦國軍隊是天下最強的軍隊，紀律嚴明，驍勇善戰，虎賁軍更是秦軍百中挑一的精兵，乃是秦國人的驕傲，尤其是經過這次嫪毒事件的考驗，不但證明它英勇能戰，而且忠心耿耿值得信賴。

平日，每當虎賁軍的隊伍由街頭通過，無論部隊大小，人數多寡，民眾都會圍集在街道兩旁觀看，孩童會跟在隊伍後面跑，有些婦女還會在樓上丟鮮花和水果。

但是，今天將街道兩邊擁塞得水泄不通，以及站在高樓頂上及大樹上的人群，他們想看的是嫪毒。

尤其是一些貴婦和大家閨秀，早就耳聞嫪毒的種種軼事傳聞，更是想在他臨死以前見他一面。她們不惜花重資包下街道邊的樓上或茶樓酒肆。

巳時一過，嫪毒的刑車從廷尉大牢中拉出來，前後都有虎賁軍押陣，因爲有傳言，跟嫪毒交情很深的戎、翟君，造反不成，逃回邊地後，今天可能會來劫法場。

在由單馬拉著的囚車裡，嫪毒蓬頭垢面，在廷尉的刑求早已將他折磨得不成人形，他兩眼緊閉，似乎神魂早已離開這個世界。

圍觀的民眾紛紛議論，有人指著他大罵，也有人私底下對他表示同情。

「看他們將他折磨成這個樣子！」一個久在內心私慕他的貴婦如此說：「這樣俊美的人弄得像鬼一樣。」

「列土封侯，也算人臣至極了，誰教他貪心不足還要想造反。」另一個大家閨秀插口。

「他這輩子也算夠了，處處受到女人歡迎，換著我也是死能瞑目了。」一個陪伴她們來的年輕男子說。

「登徒子，色鬼！」那位大家閨秀罵。

「要是小姐能對人稍假顏色，別說五馬分屍，就六馬七馬，小人也是心甘情願的！」那個年輕男子涎著臉皮說。

「不要臉！」那個大家閨秀紅著臉啐了他一口。

嫪毒的囚車過去不久，大批的虎賁軍出動清道，街道上不許停留任何行人，連店門和樓上的窗戶都得關閉。虎賁軍三步一崗，五步一哨，面對面分站在街道兩邊，監視著每處巷口和可能藏人的隱密處，連各處屋頂也有專人駐守。

秦王政的車隊來了。

車隊前後都有數百名虎賁軍護衛和開道，五部式樣相同的輼輬車全由四匹馬拉著，一般人都不會知道秦王是在哪部車裡，連近侍也是要等秦王指定車子出發的順序，才知道秦王是在哪部車裡。四部隨行副車則坐著郎中令和其他近臣。

五部輼輬車後面才是相國呂不韋等大臣的座車。

秦王政坐在第三部輼輬車裡，看到街道兩旁警戒森嚴冷清的場面，不快的向駕車的趙高說：

「寡人不喜歡這種見不到一個民眾的場面，寡人日夜辛勞焦心國事，都是為了他們。」

「大王，按秦律，大王出巡……」趙高恭敬的回答，但只說了一半，就被秦王政打斷。

「寡人知道，但秦律也是先王所訂，寡人現在認為已不合時宜，應該修改。」秦王政搖搖頭說。

「功不十倍不修法，利不十倍不改制。」趙高這位法律專家只要一提到法令，他倒是十分堅持的。

「啓奏大王，這項清道律例乃是怕宵小及不良份子闖道，但大王一心一意想和百姓接觸，可經律制會議討論後改訂。」參乘的長吏李斯說。

「說改即改，寡人現在規定，今後寡人出巡，不必清道，好讓百姓表示一點對寡人的感激之意。」

「遵命！」李斯隨即下車，向後車的郎中令宣達了秦王的旨意。

郎中令立即轉告虎賁軍都尉王翦，王翦也隨即命清道虎賁軍命令街道兩旁店舖開門，准許民眾瞻仰秦王龍顏。

於是，片刻之間，咸陽街道氣象整個爲之改觀，大街兩旁門前樓上，連屋頂上都爬滿觀看的民眾。

秦王車隊所到處，民衆紛紛下跪，高呼萬歲，其實他們根本見不到秦王的臉，甚至連他坐在哪部車上都不知道。

在志得意滿的心情下，秦王不禁又回憶起邯鄲，懷念隨著老人在邯鄲所看到的民間疾苦，以及和玉姊攜手同遊的溫馨。

「眞的，因爲君王永遠再享受不到那種自由自在了！」他留戀的想。

車外的「萬歲」聲越來越響亮。

「這些百姓多可愛！我應該好好爲他們多做點事！」

8

呂不韋坐上監斬台，命人打開囚車，將嫪毐帶上驗明正身。他轉臉看了看坐在正中看台上的秦王政，看到他臉上似笑非笑的表情，暗暗心驚，他明白，嫪毒的事一辦完，下一個秦王政要對付的就是他。父子相殘，他該怎麼辦？也許嫪毒說得對，他們應當同心合力，協同太后先將嬴政廢掉，但廢掉又要立誰？嫪毒的兒子？不，絕不可能！無論如何嬴政是他的兒子，唯一的兒子，不管嬴政自己或是別人都不承認，但只要他知道就好。

也許父子相爭，該退讓的應當是父親，父親只有過去和不多的現在，而兒子卻擁有無窮無盡的未來！

「該死！嫪毒！該死！叛逆！」群眾的吶喊聲將呂不韋從思潮中驚醒。只見兩名手執大刀的劊子手已將嫪毒押到監斬台前。

嫪毒長髮覆臉，身上的白色內衣沾滿了受刑逼供所留下的血跡，五花大綁，背上插著「叛逆犯嫪毒」的斬標。劊子手拉著他的頭髮，將他的臉抬起來讓呂不韋驗明正身。呂不韋依例仔細觀看，這時，嫪毒緊閉的眼突然張開，依舊烱烱有神，破碎囚衣裸露出的胸部和肩部，肌肉仍然墳起如栗。他兩眼瞪視著呂不韋，呂不韋在他眼中讀出：

「他今天殺我這個假父，明天就輪到你這個眞父！」

「你叫嫪毒嗎？」呂不韋依例問：「還有什麼遺言？」

嫪毒不作回答，他又在他眼中讀出：

「今天是我，明天就輪到你！」

兩旁的劊子手用腳踢嫪毒膝蓋後方，一面罵道：

「死囊囚，跪下答話！」

嫪毒沒有理他們，仍然兩眼瞪著呂不韋，兩腿站得更爲挺直。劊子手想再踢，呂不韋喝住：

「算了，準備行刑！」

劊子手一左一右攙扶嫪毒走，嫪毒搖動身子，擺脫他們，昔日邯鄲惡少的豪氣又再恢復。

「五馬分屍！嫪毒，車裂死他，叛逆！」群眾又噪叫起來。

咸陽城和附近幾個城的居民幾乎是空城而至，大校場周圍的高地、樹上，甚至遠方的屋頂都擠滿了人，根本不管看不看得到。

「萬歲！吾王萬歲！」有人帶頭喊，幾十萬人隨聲附和。

在呂不韋耳中聽到的和聲是：

「叛逆！吾王萬歲！五馬分屍！嫪毒！吾王萬歲！……」

呂不韋搖搖頭，苦笑著在心裡想，成王敗寇，假若嫪毒那天攻打蘄年宮成功，如今押在場中央的一定是嬴政，嫪毒會和嬴政易地而處，坐在觀刑台上，也許旁邊還會坐著太后，那他呢？又會在何處？

「吾王萬歲！叛逆！萬歲！五馬分屍！……」

羣眾的兩種吶喊混在一起，分不清哪是吾王？哪是叛逆？誰該萬歲？誰該車裂？

走向場中央的嫪毒，突然又轉頭看了他一眼，臉上的神情不是怨恨，卻是憐憫，他彷彿又在他臉上讀出：

「今天是我，明天是你！」

他打了一個寒噤。

五部不同顏色的單人馬車，由五匹與車同色的馬拉著，分五個方向排列。車馬的顏色分別是紅、黃、白、黑和黑白相間，象徵著金、木、水、火、土五行(刑)。

兩名劊子手將嫪毒囚衣脫去，只留下一條內褲，四周觀眾群中響起一片讚嘆，中間夾雜著許多尖銳的女聲，他們是在讚嘆嫪毒發育完美的男性胴體。

劊子手將五條帶鈎的繩索分別綁住他的四肢和頸子，然後將鈎掛上車後的鈎環，他就此成大字形躺在地上。

鼓手開始擂第一通鼓，表示午時已到，按秦律，這時是受刑人家屬最後與受刑人訣別的時候，他們有半個時辰作最後交代和食用酒食，並讓家人活祭。

「這麼俊俏、聲勢顯赫的人，臨死前都沒有一個人來祖道送行，眞是可憐！」一個年輕的婦人說。

「妳可憐他，就買點酒菜敬他，燒點紙錢祭他，裝作他的妻子，有何不可？」另一個婦人打趣她說。

「他是閹者，哪來的妻子！」另一個少女掩著嘴小聲說。

「閹者？妳看看他短褲的褲襠，凸出那樣高！」一個男人粗聲粗氣的喊。

少女紅著臉鑽入人叢轉到別處，周圍的人傳出一陣爆笑。

「造反滅父、母、妻三族，就是有妻子也早跑了。」另一個男人感嘆的說。

突然，人叢中跑出一個帶著祭籃的女人，哭著跪倒在嫪毒前面。

群眾一陣嘩然。

秦王政在台上一震，命一名近侍飛馬查看。

「是妳？」嫪毒搖頭苦笑：「妳好大的膽子！」

她正是那晚告密得獎金的女人。

「毒郎，我對不起你！」她哭著說。

「妳的丈夫呢？他准妳來？」嫪毒好奇的問。

「我沒有丈夫，他在一年前就死了。」

「那晚的話都是騙我的？」

「除了丈夫去邯鄲那句話之外，其他每句話都是眞的。」

「唉，多謝妳冒這麼大危險來看我，現在趕快走，免得連累妳！」他又閉上眼睛。

「我們至少還有一刻時間可以相聚……」

這時近侍飛馬已到，他在馬上喝問：

「你是他什麼人？不怕連坐嗎？」

「他的情人，也是告發他的人，憑什麼都連累不到我！」女人理直氣壯，反而將近侍難爲住了。

他哼了一聲，又趕快飛馬回報秦王政。

秦王政聽了，又想起太后和嫪毒的事，不由怒聲說道：

「這次這個女人不要管她，告訴相國傳令下去，今後凡膽敢死後拜祭嫪毒者，交廷尉議刑！」

近侍又馳馬轉告呂不韋。

女人幫嫪毒倒了一杯酒，送到他唇邊，他仰著臉喝了一口，嗆著咳了很久。他反而瀟灑的笑著說：

「臨死還有妳來送行，我死已可瞑目了！」

女人用酒打濕他的額頭，爲他整理好額前的亂髮，一面娓娓的哽咽著說：

「自幼在邯鄲我就單戀著你，那晚……」

「不要說了，我明白妳們這些女人，得不到的就毀掉！」

「尤其是那晚以後，」女人帶著嬌羞說：「我不能讓別的女人得到你，假若你那晚說願意帶我走……」

「不要說了，我都明白，只有來生再見了！」嫪毒又閉上眼睛。

大鼓又擂二通，這表示午時兩刻已到，送行的家屬應立即離場。

女人哭倒在地，兩名兵卒上前將她強行拉了出去。

接著鼓擂三通，車刑官飛馬來到監斬台前稟報：

「時刻已到！」

「行刑！」呂不韋丟下行刑竹牌，大聲喝出。

車刑官急馬回到五部車中央，高呼一聲：

「行刑！」

坐在五部車上的御者揚鞭抽馬臀，口中嗚嗚而呼，五匹馬人立而嘶，接著分成五個方向狂奔。

馬蹄印、車轍痕，外加嫪毒身首四肢在沙場上拖出的點點血跡，形成一幅血淋淋的殘慘畫面。

「萬歲！吾王萬歲！」人群歡呼。

「叛逆！該死！死有餘辜！」群眾又喊。

「萬歲！叛逆！吾王萬歲！該……」兩股聲音又合流混雜在一起。

秦王政有種興奮後的空虛。

呂不韋還在讀著嫪毒的眼神：

「這次是我，下次是你！」

9

秦王政十年三月。

那天，秦王政早朝聽各大臣奏事已畢，回到內宮，心情特別輕鬆。

這幾個月蒐集到的證據，足夠置呂不韋於死地，他決心除去呂不韋，他恨呂不韋的程度不亞於恨嫪毒。尤其是國內外朝野爲呂不韋說情，他在怨恨以外，又多了一層猜忌。

決心已下，沒有矛盾，他反而平靜下來，一心一意計劃如何在最小的傷害下，根除掉呂不韋在秦國的勢力。

唯一仍使他不安的是，呂不韋沒有一點要反抗的徵兆，這反而使得他有所顧忌，莫測高深，這是對呂不韋遲遲未下手的原因之一。現在他既然決定在近日內採取行動，各方面也部署妥當，也就管不到這樣多了。

忽然內侍來報太后駕到。

秦王政皺皺眉頭，命侍立身後的趙高說：

「派人責問王翦，寡人當面交代他，大鄭宮人員不准進出，包括太后在內，怎麼太后突然來到咸陽，寡人事先都不知道？」

君主派人責問，乃是大事，弄不好被責的大臣就會自殺謝罪。

「是，微臣立刻派人。」趙高立刻想出便殿找人傳詔。

趙高此時雖然只居中車府令之職，名義上是掌管宮中車馬儀仗，但實際上他掌管了秦王璽符，是秦王政最親信的人。自從成蟜自殺，秦王政再沒有人可以吐露心事，而趙高為人拘謹，凡事小心，外表上唯唯諾諾，恭恭敬敬，特別是每次他望著秦王政的眼神，活像一條搖尾乞憐的狗。想起他父親李代桃僵對他們家的恩惠，以及趙高本身悽慘的遭遇，他不禁會對他興起一種憐憫。

不過他也注意到趙高心理上的變態：趙高遇事是唯恐天下不亂。所以他只命他做事、備諮詢，而不賦予任何實權。

秦王政在順口說出派人責問以後，警覺到此事的嚴重性，但又不便出爾反爾，收回成命，正在為難，一旁侍坐議事的僕射蒙武連忙啓奏：

「請大王息怒，暫停責問。」

秦王乘機下台，要趙高暫不傳詔，但他不得不裝作不解的問：

「為什麼？」

「太后與大王名雖君臣，實乃母子，母子間的家務事，人臣很難為！」蒙武不慌不忙的說。

「也罷，待有便寡人當面問他。」秦王政表現得從善如流。

他也注意到趙高微露的失望表情。

問答之間，近侍來報，太后鑾駕已進中門，秦王政不得不率蒙武趙高出殿迎接。

等到他們下得台階，太后已經下車，由湘兒繡兒兩旁扶著。幾個月不見，太后很明顯的憔悴多了，顯示出她在內心所受的煎熬。

秦王政見母親如此疲態，心上升起一股憐惜和愧疚，但很快就按捺下去。他告訴自己：「絕對不能軟弱，她來擺明是要幫呂不韋說情，我絕對不能作任何讓步！」

「不知母后駕到，兒臣接駕來遲，還望恕罪。」秦王政跪迎，蒙武趙高跟在後面跪下接駕。

「起來吧！」太后微笑著說。

但在秦王政眼中，太后的微笑帶著無限淒楚。他再次在心裡告訴自己：「絕對不能軟弱！」

「帶哀家去書房，大王，有點事要相商！」太后眼神中也充滿了堅毅神情。

秦王政觸及她眼中這股神情，全身爲之一震，明白今天的事不會輕易解決。

10

南書房只有太后和秦王政母子兩人。

秦王政下令殿前郎中侍衛，任何人不准接近南書房三十丈以內，違者死！

母子兩人分別坐下後，秦王政首先說道：

「太后今天駕臨……」

太后厲聲打斷他的話說：

「嬴政，今天我們要以母子的身份討論點家事，不要稱我太后！」

秦王政驚詫的望著太后很久，強捺著心頭怒氣，平靜的說：

「母親，孩兒遵命！」

「我是爲呂不韋說情來的。」太后說。

秦王政更爲驚異，想不到平日驕傲自恃的太后，竟能如此開門見山自認求情。他有點想笑，但看到太后母獅般威猛的神情，似乎是隨時都會撲上噬人的樣子，他笑不出來。

「我對呂相國並沒怎樣。」秦王政裝作不解。

「不要喊他呂相國，我說過現在我們是母子商議家事！」

「那我要喊他什麼？」

「喊他……」太后強忍住下面幾個字，改口說：「喊他呂不韋，這樣才像談家事！」

「我對他眞的沒什麼。」

「你還要說謊，你現在網都已張好了，正等著他進來後就收網，你當我什麼都不知道。」

「這也沒有什麼，」秦王政若無其事的說：「他涉及嫪毐叛逆的事，天下人皆知。」

「但天下人都在為他求情。」太后說。

「不，不能說天下人，只能說是他遍佈天下各階層的惡勢力。為了秦國的利益，我不能再坐視這股勢力強大下去。」

「呂不韋對你不壞，先王一再想廢你立成蟜，是他一直在堅持，你親政以後，不顧體制，不斷給他打擊，他從來沒反擊過。你應該知道，當時我要是和他聯合起來廢你，易如反掌！」

「可是妳和嫪毐聯合起來這樣做了！」秦王政再也壓制不下心中的怒氣：「要不是我運氣好，恰好遇到王翦這員智勇雙全的猛將，幾個月前在刑場受車裂的是我，觀刑台上坐的會是嫪毐和妳！」

「……」太后一時語塞。

「俗話說，虎毒不食兒，但母親，妳竟忍心會同嫪毐來算計我！」

秦王政越說越氣，站起來在書房裡不停的來回走動，就像一頭發狂的獅子。

這時太后反而平靜下來，知子莫若母，她從兒子自小到大的動作，明白嬴政外表越激烈，內心越是空虛軟弱的弱點。

她微笑著等待。

「我殺了嫪毒，也絕不能放過呂不韋，身爲相國，嫪毒謀反，事前他不聞不問，事後還命咸陽令發僞通行證給他……」

「不，孩子，這一切都是我要他做的，」太后柔聲的說：「要怪一切怪我。」

「怪妳？當然怪妳！」秦王政停止走動，兩眼怒視著太后：「妳也是該死的，爲了妳一己的情慾，鬧出這麼多這麼大的事來！」

「什麼！你這樣侮辱你的親生母親！」太后被擊中最脆弱之點，忍不住哭出聲來。

秦王政仍然兩眼瞪視著她，就像在看一個陌生人。

「好，既然你說破了，爲娘的也不再有所顧忌。你生爲王室的男人，能夠明白身在後宮女子的痛苦嗎？你父親、你祖父，以及天下古今的王侯將相，哪個不是姬妾成群？你們男人當然不會明白女人在這方面的苦悶，我這樣做，在你們男人認爲是大逆不道，淫賤成性，但我自己卻不認爲有什麼不對，女人也是人！」太后侃侃而論，淚中還帶著微笑。

「母親，我不和妳談這些，」秦王政實在聽不下去，中隱老人自命開通，無可無不可，卻也沒教他這方面的知識，他只得轉變話題：「妳怎麼做，我無法管，只因爲妳是我的母親，但妳和呂不韋的關係就和嫪毒一樣，就私的方面來說，我不能殺妳，也可以殺呂不韋！」

「不，孩子，你不能殺他，就跟你不能殺我一樣。」太后搖著頭微笑。

「爲什麼？」

「因爲他是你的父親！」

「什麼？」這下是他被擊中要害！他跌坐在几案前，無力的垂下頭：「妳也這樣說？不，妳是爲了開脫他才如此說的，不，我不相信，我是莊襄王的兒子！我是嬴家的子孫！」

「孩子，你是誰的孩子，只有做母親的最清楚。」太后微笑著站起來：「看看你自己像誰？」

秦王政也跟著站了起來，可是兩眼發直，跡近瘋狂，他雙手舉起几案舞動，將室內竹簡書籍紛紛掃落地上，玉石擺設全都打得粉碎，他口中不斷的喊著：

「呂不韋，我要滅你九族！用七匹馬分你的屍！」

太后微笑的看著他，就像看著他小時候撒嬌耍賴一樣。她知道暴風雨過後，就是雨過天青，呂不韋不會死了。

「我要回雍地去了！」太后柔聲的說，她也明白這是她離開的最好時刻。

「呂不韋，我要滅你九族！」秦王政仍在瘋狂大叫，他特有的似狼似豺的尖銳嗥叫聲，驚動了後宮所有的人。

但就在太后要出門的刹那間，他突然冷靜下來，恭敬的向太后行禮：

「太后，兒臣不送了，兒臣永遠不要再見到你，除非是在黃泉之下！」

太后這時反而不寒而慄，淚如雨下，她顫聲喊道：

「孩子，我的兒子！」

但秦王政沒有理她，推窗而立，面向窗外，陷入沉思。

過沒幾天，秦王政連下兩道詔命。

第一道是有關後宮的——

今後選女入宮，三年一更替，願留宮中者留，不願留者遣歸，無家可歸者，由公家主婚陪嫁。

宮中姬妾依周制排定値宿表，按王后、夫人、姬妾次序遞減値宿日子，非必要不得改變日期。此詔訂爲王室規例，後代子孫應世代遵守。

第二道詔命是有關呂不韋的——

相國呂不韋舉人不當，按律當連坐，姑念對國功大，著予免去相位，出就河南封地。

11

秦王政解決掉呂不韋這個心腹之患，開始時感到輕鬆多了，但沒過多久就發現到，免去他的相國職位，並不能根除問題。所謂百足之蟲死而不僵，呂不韋更像一棵大榕樹，儘管你將它移動了位置，但只要它密佈在地上和地下的根沒除去，它仍然富有活力，它吸盡了地力和養料，在它籠罩的範圍內，寸草難長。

呂不韋和他的利益團體吸盡了秦國的國力和資源，每逢出兵或國家有重大開支，國庫還得向他和他的利益團體設法調借，換句話說，呂不韋仍控制著秦國的財經動脈。

更使秦王政不安的，乃是呂不韋在秦國和國外的潛在勢力，在這次就國時充份展示出來。

在他詔命公佈後的一個月裡，咸陽城似乎變成了呂不韋城，從早到晚，無論是富貴人家，茶樓酒肆，或是街巷市井，上自君侯大臣，下至販夫走卒，口中談論的都是呂不韋，設宴送行的、贈送紀念物歌功頌德的，更是無日不有。

呂不韋啓程的那一天，送行車隊長十多里，祖道的几案從東門一直排到十里長亭，送別宴畢，還有人送過渭水的。

然後，呂不韋就國之後，河南就變成了政治、經濟、外交，甚至是文化中心。各國使節或是來訪大臣，到咸陽之前，都會先到呂不韋那裡停留議事，到達咸陽見他時，所提出的往往是在呂不韋那裡得到的結論。

在咸陽的大臣遇有重大問題和疑難雜症，也會和呂不韋書面往來商議，甚至是遠到河南移樽就教。

在文化中心方面更不必說了，呂不韋免去相國，閑暇時間更多，他召集門客吟詩著作，評議時事，儼然成了清流首腦。

想到呂不韋的有形無形勢力，以及他控制著秦國經濟，逐漸將秦國的國力變成他和他利益集團的私人勢力，秦王政就有如芒刺在背，夜夜都不能安枕。

他決心再採取行動。

那天，他將蒙武找來，在南書房討論了一個晚上，等蒙武走了以後，他又在燈光下沉思很久，最後親自書寫了一封給呂不韋的信，信中主要的話是——

君何功於秦？秦封君河南，食十萬戶。君何親於秦？號稱仲父。其與家屬徙處蜀！

短短一封信卻似乎耗盡了他全身的精力。他召進內侍，命他連夜將信送到蒙武府去，並命蒙武明天即啓程，將信送給呂不韋。

近侍走了以後，他輕舒了一口氣，踱步來到窗前，推開窗戶。只見庭院中月色如霜，他抬起頭來一看，竟已是仲秋滿月。他在心裡這樣想：

「假若他是我父親，他應該知道如何自處！」

他不禁又回憶起邯鄲那段日子，呂不韋對他和他們家恩惠和功勞都實在太大，沒有呂不韋，父親和他根本登不上王位。但爲了秦國，爲了平定天下，這棵吸盡地力的大榕樹必須連根拔去。他喃喃自語：

「假若他眞是我父親，應該知道如何自處，不要逼我再走第二步！」

12

呂不韋在燈下看完了秦王的信，抬頭對坐在西邊客位的蒙武說：

「主上命我和家屬遷蜀，是否有限期？」

「主上沒定限期，也未明令奪爵，什麼時候啓程，君侯可自行決定。」蒙武恭敬的回答說。

呂不韋起立，在室內踱著步沉思，突然轉過頭來又問：

「臨行主上還有別的話沒有？」

「主上在臣已拜別上車時，還交代臣轉告君侯，希望君侯能善以自處。」蒙武從容的說。

聽了蒙武這句話，他心頭一凜——善以自處，這句話絃外有音，嬴政到底想對他怎麼樣？他沒有再問蒙武，而是坐回到席案前向蒙武說：

「蒙大人是否能在此多盤桓幾天？」

「不了，王命在身，主上也一再交代送到信，得到回信即回，臣想在明天就啓程返回咸陽。」

「這樣我就不敢留蒙大人了，」呂不韋笑著說：「今日已晚，待我修好回奏，明日在長亭設宴為蒙大人送行。」

「那怎麼敢當！明日一早再來君侯處辭行。」蒙武說著起身告辭。

等送蒙武走了以後，呂不韋又回到書房，眞可說是百感交集，眾味雜陳。

他依窗佇立，很久都歸納不了思緒。

嬴政的信和蒙武傳來的話，很明顯是要他自行處理，換句話說，也就是要他自行了斷。

嬴政在步步進逼，先是將他的產業能國有化的都國有化了，不能國有化的都加以重稅，他和他的人負擔不起，只有慢慢脫產。

接著他將他從咸陽貶到河南封地，現在又將從河南遷到蜀地，下一步呢？

也許是他自己的錯，不該在貶謫之餘還不知收斂，但這有什麼辦法？他只是接待來賓！諸侯使者、名士學者、市井遊俠找到他這裡來，他無法不招待，否則呂不韋就不成其為呂不韋了。

也許他最錯的地方是當時沒有聽太后的話，合力將他廢掉，立成蟜或是立嫪毒的兒子，他們都比較好控制得多。但這樣可以嗎？他到底是他的兒子，廢他立別人的兒子，怎麼也說不過去。

好了！現在他這個做父親的節節退讓，做兒子的卻步步進逼，看情形是要置他於死地。他應該採取什麼對策呢？

他離開南窗，又在室內轉走一會，焦急徬徨，束手無策。要是對別人，他呂不韋可以三步一計，五步一策，但嬴政是他兒子，也是唯一的兒子，無人可以取代。

他自書櫃的密格裡取出一瓶酒，再取出兩隻玉杯倒滿了，在其中一杯倒下了鶴頂紅。他喃喃向天祈禱：

「上天，請指示我該走哪條路！」

一條路是逃亡到趙國。趙王前不久還派了使者向他遊說，聘請他去擔任趙國丞相。趙國是合縱盟約約長，換句話說，他一去就可以和蘇秦一樣佩六國相印，聯合六國對付秦國。當然這是不可能的，他不能會同外人來毀滅自己的兒子，雖然嬴政並不承認他這個父親，而是一步步苦苦相逼。

不過，他回趙國，至少是如魚返水，他在趙國有事業也有朋友，不像在秦國完全是權勢與利益的結合。他可以像范蠡那樣三集三散其財，一展他經濟長才，也可以優遊林下，度過一個平靜的晚年。

另一條路則是吞下這杯酖酒，一了百了。這輩子他由貧賤而富貴，位至裂土封侯，可說無論在哪方面，他都達到了爲人臣的極致，何況他還有一個親生骨肉在做秦王，憑著他這十多年的經營，秦國國力已足夠吞併六國，依嬴政堅忍果斷的天縱之才，成爲天下共主，乃是指日可待的事，環顧各國國君，個個愚騃軟弱，和嬴政相比，眞是龍蛇之分。

他是他的父親，何必要與他相爭，父子相爭，退讓的應該是父親，因爲父親只有過去和有限的現在，而兒子卻有著無窮無盡的未來！

這時，呂不韋苦思不定之下，突然精神恍惚，彷彿變成了兩個人，互相激烈的爭論。這個呂不韋說：

「嬴政是我的兒子，我應該讓他。」

「父是父，子是子，乃是不同的個體，何況嬴政無論在名義上，在他的內心，都不承認你是他的父親。」那個呂不韋說。

「我內心承認他是我的兒子，也就夠了。」這個呂不韋說。

「就是你認爲父子相爭，爲父的應該退讓，也不該退讓至死！」那個呂不韋說。

「我活著一天，總是嬴政的心腹之患，各國都希望由我聯合它們共同抗秦，假若爲形勢所逼，可能眞會形成父子相鬥的局面。」第一個呂不韋說。

「那也總比你飲酖自示軟弱好多了，其實你去趙國息影林下，自由自在，擁美遨遊，和陶朱公一樣有何不可？」第二個呂不韋說。

「說得容易，嬴政會放過我嗎？我淸楚他的個性，他會向各國君主要人，我逃到哪裡，他就會要到哪裡，那時會逼得我帶領各國和他相抗，父子相鬥的局面不得不形成。」第一個他說。

「你可以不投靠任何國君，而是隱姓埋名，找個山水明媚的處所隱居起來，有何不可？」第二個他說。

「隱居談何容易？」第一個他苦笑著說：「嬴政間諜滿佈天下，他所派的殺手會從地底將我挖出來，時時提心吊膽，刻刻怕人追殺，還能優遊林下嗎？」

「這樣說，你是承認失敗了？」第二個呂不韋說。

「這不是承認失敗，而是要保全我十多年在秦國所作的經營，也是要我的子子孫孫做天下的共主，想達成這個願望，只有讓我離開這世上，嬴政才能放心的統一天下！」

第二個呂不韋不再說話了。

呂不韋端起那杯下了酖的酒，緩慢的踱到南窗前。他推開窗戶，只見長空無雲，一輪團圞滿月高掛正空中，亭台樓榭，花草樹木，石山荷池，小橋流水，全沐浴在銀色的月光下。

「多美！這個世界多美！」他驚嘆著：「習久不察，臨去前的回顧，才明白人間本無事，庸人自擾之，我習慣於在女色歌舞中追求美，卻忘了在大自然裡，美是俯拾皆是的東西！」

同時，他又回憶到和玉姬月夜泛舟的美好時光，心中升起一陣酸楚，他舉杯向著四方說：「玉姬，來世見了，他是妳無可懷疑的兒子，但願他不會逼妳像逼我這個沒有名義的父親一樣。」

「今夜的月色好美！」他凝視皎潔明月，由衷的讚嘆著。

接著他舉起酒杯，一口乾了下去。

第11章 一切逐客

1

秦王政高冠朝服端坐在殿上，陛階下排列著文武百官，大半都是愁容滿面，這些都是呂不韋和太后的心腹。

剛才秦王政宣佈了呂不韋飲酖自裁的消息，正注意觀察各大臣的表情。

有的立刻面露喜色，差點歡呼出來，這多半是宗室大臣和秦國的舊臣。

有的滿臉籠罩慘霧愁雲，如喪考妣，偷偷的拭擦眼淚，這都是呂不韋生前的知己。

另外有些呆若木雞，神情頹喪，這些是呂不韋重用的人，他們不是傷心呂不韋的去世，而是擔心自己的前途。

還有些剛聽到消息，臉色轉白，但頃刻之間變得神色自若，這是標準的騎牆派，也許他們曾向呂不韋輸過忠誠，呂不韋失勢以後，他們早已從事投靠宗室派陣容的活動。

有些聽到這項消息毫無反應，那包括陛階下執戟的郎中和侍立秦王政背後的近侍。

秦王政昨晚深夜得到蒙武帶來的消息，先也是心頭一震，接著感覺除去喉中骾骨般的輕鬆。

「文信侯沒有留下任何遺言，臣已將文信侯府整個全找遍了。」蒙武稟奏。

「還要什麼遺言？」秦王政笑著說：「這就是他對寡人最好的答覆和遺言！」

他看到蒙武臉色頓時變得蒼白。

「也許他認為我太殘忍，也許他知道呂不韋是我父親的事，但他不知道父子相爭，有時候父親應該退讓，至於退讓的程度和方式，全看個人的性格和當時的情勢，呂不韋是聰明人！」

秦王政當時對呂不韋興起一點知遇的感恩。

但今天一看殿下群臣的表情，他不能不觸目心驚，大略統計一下人數，呂不韋的知己和心腹，佔了重臣的一半，再加上那些牆頭草兩面倒的人，三分之二以上是呂不韋的遺產，這樣沉重的遺產，他承受不起！

這棵老榕樹，砍掉地面上的樹身不能算數，必須根除蔓延在地下深處的這些盤纏錯綜的大小根。

他沉吟著該採取激烈的手段，一夕之間拔起，還是用緩和的辦法，逐步斬斷這些根的養料，讓它們凋殘而死？

兩者都有利害，秦王政早就一再衡量過。

採取激烈手段，利是不浪費時間，用迅雷不及掩耳的速度一舉清理掉這些殘根，不讓它們再有時間長出新根來。但害處是這些根和整個秦國的各階層都已糾纏在一起，一不小心，輕則傷害某部份的國家利益，重則可能動搖國本，予各國諸侯趁勢來襲的機會。

但用緩和的辦法呢？利是可以防止前述的害處，但毛病是出在可能舊的未去，新的又蔓生出來，斬不完理還亂，永遠沒有清理乾淨的一天。

他正在考慮這件事的時候，耳邊忽然響起稟奏的聲音，轉眼一看，正是大將軍桓齮，他恭身行禮說：

「啓秦大王，嫪逆已受刑，文信侯也怕連坐而自盡，嫪逆反叛案該告一段落，以免人心繼續不安。」

「大將軍所言不錯！」秦王政笑著說，接著喊：「廷尉！」

「大王，臣在。」廷尉出班恭身行禮。

「嫪毒叛逆案該結案了，爲了表示寡人寬容，與人改過向善，先前那些不知情或被迫從逆而流蜀的人，著准予赦免還籍！」

「是，大王仁慈。」廷尉行禮回到班中。

「桓將軍，還有事嗎？」秦王問。

「大王此舉，惠及萬人，臣沒事了。」桓齮恭敬的回答。

「那好。」秦王目視殿前司儀。

司儀正想宣佈退朝之際，忽見左邊文官班裡閃出一人啓奏，秦王政皺皺眉頭，正待責問

——有事早不奏，偏偏要等退朝時湊熱鬧，但看清楚是蒙武後，他不禁微笑著說：

「蒙僕射，有何要緊事，可否明日再議？」

秦王政自認對他特別，可是蒙武並不領情，他大聲說道：

「啓稟大王，嫪毒叛案已結案，輕微從犯也全都赦免，大王卻忘記一個人！」

「什麼人？」秦王政不高興的問。

「太后，」蒙武回答說：「大王至今三年都未曾和太后見過面！」

「你退回去！」秦王政一聽太后，怒氣就上升：「這事以後再說！」

蒙武一見秦王政發怒，警覺的想起這涉及太后和秦王之間的私事，不能在朝中公開爭論。剛才只是見桓齮歌頌秦王，秦王心情好，他想順水推舟解決這件事，既然秦王不願談，只有以後找機會。

他順勢退下，秦王點頭笑著宣佈：

「太后的事，寡人自有主張，今後有人再提及太后事者死！」

他話剛說完，只見文武列中出來一大片人，全都同聲啓奏：

「請大王迎太后回咸陽！」

秦王政驚詫的看著這些人，仔細一看，全都是太后的死黨，有宗室大臣，也有來自趙國的呂不韋門下。

他不怒反笑，緩緩說道：

「各位卿家，寡人剛才宣佈提太后事者死，你們都是不怕死的，來人！」

出列奏事的眾大臣面面相覷，他們只是看到秦王面帶笑容，認爲蒙武沒事，他們也乘機爲太后一表忠忱，博得敢諫的美名，卻沒想到秦王笑著說的「死！」乃是說眞的。

其實秦王政是想藉此機會，名正言順的除掉幾條「榕樹根」。他的一聲「來人」，殿下執戟郎中應聲而至。

「將這些人全部推下斬了！」

「是！」衆多武士蜂擁上前，將這些強諫大臣綑綁起來，秦王政一點數，整整二十七個。

「大王且慢！」蒙武急閃出班跪伏在地：「這件事是由臣所引起，臣願同罪！」

「不干你的事，」秦王政笑著說：「你說話在寡人言死之前，不能怪你。」

「大臣諫事，罪不至死！」廷尉亦跪伏在地，以有司身份發言：「請大王三思。」

「哦！」秦王皺皺眉頭，沉吟良久：「廷尉亦如此說？那死罪可恕，活罪難饒，這樣吧，」

他轉向值殿郎中說：「將他們都打入囚籠，籠內要堆滿荊棘蒺藜，讓他們先嘗嘗寡人轉側難安，左右爲難的滋味。全放在殿前示眾，等待進一步發落！」

2

次日，齊王使者茅蕉來見秦王政，在殿門口看見這個怪異大觀。廿七個關野獸的鐵籠裡面，坐著廿七個只穿犢鼻褌、光著上身及兩腿的大臣，籠中只留出坐的地方，其餘空間全堆滿了荆棘蒺藜，只要一打瞌睡或是動一動，就會被刺醒或刺痛，有的人已被刺得全身鮮血淋淋。

茅蕉向陪同的專司禮賓的秦國奉常江簡說：

「貴國大王這種舉動有如兒戲，朝中就沒有人勸諫一下嗎？」

「敝國國君英明果斷，做事自有他的分寸，眾臣是不須勸諫的。」江簡一來是顧全國家體面，二來是怪茅蕉言語之間干涉別國內政，所以如此冷冷回答。

「爲了何事如此？」茅蕉不怕討人厭又問。

江簡簡略的說了昨天的事。

茅蕉大吃一驚的說道：

「事情糟了！齊王派我來此，正是要勸說貴國大王母子和好。」

江簡幸災樂禍的笑著說：

「果然事情不妙，也許茅先生乃是外客，不會與敝國內臣同罪，但橫批龍鱗，遭到難堪或是驅逐，恐怕就難免了。」

「但來此說服不成，有辱君命，我也不想活了，」茅蕉堅決的說：「請江大人轉奏，齊國使臣茅蕉就爲此事要求見駕。」

江簡見他如此堅決，也起了同情之心，他說：

「茅先生暫時在殿門前等等，我先去爲先生探個底，假若大王實在是盛怒難消，見大王時就談談別的吧。」

江簡進殿先行啓奏齊國使者茅蕉在殿門待見，並隱約說到他奉派來正是要談太后的事。

「齊王憑什麼管寡人的家務事？」秦王緊皺眉頭，不悅的轉向廷尉說。

「不只齊王，據臣得到的消息是各國使者絡繹在路上，全都是爲這件事來的，依臣愚見，他們也是好意。」廷尉回答說。

「好意？他們是想看寡人的笑話，揭寡人的瘡疤！」他轉向江簡說：「你去問問他看清囚籠諸人的狀況沒有？你告訴他，要見寡人別談這件事，要談這件事寡人就不見，免得寡人將他關入囚籠直接押送出境！」

「是！」江簡退出朝殿。

在他出去的同時，秦王政轉向廷尉說：

「今後無論哪國使者來見，要是談這件事，寡人不予接見！」

「不見來使，對派出國乃是項莫大羞辱，恐怕會引起戰端。」蒙武啓奏勸諫。

秦王政冷笑一聲說：

「正好，省得寡人師出無名，遲早是要決一死戰的。」

「依臣之見，」桓齮奏諫：「先安撫齊國使者，要他在迎賓舘多住幾天，殺殺他的銳氣，也許他自己會知難而退，再召見時，不會提起此事。」

秦王政沉默不置可否。

左丞相王綰這時候乘機出殿，親自勸告茅蕉。

等他到達殿門口時，見江簡和茅蕉正爭執得熱鬧。

江簡說：

「等會朝見大王，最好你不要開口談此事，否則大王發怒，破壞兩國邦交，不值得。」

茅蕉神情凜然的說：

「老朽來此就是爲了這項使命，爲了怕羞辱甚至是怕死，要老朽有辱使命，我辦不到！」

王綰來到正好解危，他先向茅蕉行禮，江簡趕快介紹。茅蕉也連忙見禮說：
「丞相親自來排解，眞是不敢當。」
「我不是來排解，而是來傳達大王的話：囚籠全是敝國大臣，先生引以爲鑒，大王決定在三天以後接見，望先生在這段時間作詳盡思考。」
茅蕉指著囚籠裡的大臣說：
「士可殺不可辱，秦王對外使不致敢如此！」

3

「士可殺不可辱，孩子，你這件事做錯了！」中隱老人對跪坐在几案前的秦王政說。老人鬚髮皆白，臉上皺紋又增多幾條，可是面色紅潤，兩目仍然如電。
「他們不該管嬴政的家務事！」秦王政雖年已二十五，做秦王已做了十二年，但在老人面前，舉動言語仍同幼兒。
「孩子，王室的家務事亦就是國事，甚至是天下的事，大臣勸諫，鄰國關心，亦是正常的。」
「那些人根本不是勸諫，而是藉此討好太后，以待我們母子和好後鞏固他們的權位，所以我乘機羞辱他們一番。」秦王政像個惡作劇得逞的孩子，得意的笑起來。

「你不只是羞辱。」老人也狡黠的對著秦王政笑，兩眼注視著他，就像要看穿他整個人一樣：「是不是？」

「老爹果然厲害，一猜就猜到我心裡！」秦王政說：「我已派人監視河南呂不韋的墳墓，看看哪些人膽敢去祭拜，我要將這棵大榕樹的根整個清除。」

「大榕樹？」老人驚詫的問。

「呂不韋在秦國的勢力不正像棵大榕樹嗎？」

「有點像，但不完全是，只能說是依附在秦國這棵大樹上的爬籐，過度發展的結果，會吸盡大樹的養份，導致樹的枯萎，但只要保持適當，它何嘗不會爲大樹提供某種程度的保護和營養？孤伶伶的樹通常活不過外面長滿了籐的樹，但如何維持均衡就全看主政的人了。」

「但呂不韋的勢力是棵大毒籐！」秦王政說。

「那要看你從哪方面去想了。」老人閉著眼睛想了一會，突然又睜大眼睛向秦王政說：「不過，古語云，刑不上大夫，俗話又說，士可殺不可辱。罪有應得，依法殺人，雖滅人三族，人君不會遭恨，但當衆羞辱，怨積內心，後果非常可怕。」

「嬴政知錯了，但不羞辱他們，我無法解除心頭之恨！」秦王政恨恨的說。

「人主掌握賞罰權柄，不是用來洩一己私恨，戒之，戒之！」老人大搖其頭，不以為然的說：「再說動輒用刑，當眾羞辱，廉潔之士會離你遠去，留在身邊的都會是些唯利是圖的無恥小人，朝政會變成什麼樣子？」

「嬴政今後絕對會改！」秦王政悚然驚覺，低下了頭。

「知過能改就好了，」老人嘆口氣說：「就怕你是本性難移！」

「老爹，太后的事，請老爹指示。」秦王政想改變話題。

「自己去考慮決定，」老人笑著說：「免得我說出的話不中你的意，你也將我脫光衣服塞在囚籠裡。」

「老爹！」秦王政不好意思的喊。

「明天就接見茅蕉，假若他是忠直有識之士，會面時他一定會談太后之事，並提出妥當辦法，你可自行斟酌決定；假若他只是諂媚附炎之人，他就不會提，那你再來問我。」

「謝謝老爹。」

秦王回到宮中，立即派人通知茅蕉，在便殿召見齊國使者茅蕉。他是聽老人的話，不可當眾羞辱人，但他也不願意當眾受辱，太后是他這生中最大的恥辱。

另外，立即釋放殿前囚籠中的大臣。

4

雖然在便殿召見，茅蕉仍然是按照正式儀式，率領副使呈遞國書，獻上齊王送來的禮物。正式儀式完畢，秦王政遣走群臣，只留下趙高在旁侍候，另外卻有兩名彪形武士，腰掛佩刀，分立在秦王左右。

秦王政特別在便殿設下席案，請茅蕉上座談話。

兩人先談了些無關緊要的話題，最後還是秦王政年輕性急，拖不過五十多歲的茅蕉，他將話納入正題：

「先生至今猶未道出貴國國君派先生來的主要目的。」

「不談也罷！」茅蕉嘆口氣說。

「什麼？」秦王政詫異的問。

「忘記了。」

「哦？」秦王政弄不清他葫蘆裡賣什麼藥：「怎麼會忘記呢？」

「前兩天是看到殿門前人不像人、獸不像獸的東西，給嚇得忘記，回去以後想起來，今天忽然又忘記了！」茅蕉搔搔頭髮稀少的頭頂，彷彿要逼自己想起。

「怎麼會這樣呢？」秦王政見他一本正經的作態，不禁微笑。

茅蕉環顧秦王左右一眼，正色說道：

「敝國國君交代的使命忘了，老妻的話臣倒是牢牢記住了。」

「哦，什麼話比國君的使命還重要？」秦王政的好奇心眞的被激起了。

「臣的老妻臨行一再交代，要我切記兩件事。第一件是切莫和佩著刀的人說話，因爲和徒手的人話不投機，最多是胸肋上一頓飽拳；和佩刀的人談話，一言不和，有可能斷送掉老命。」

「先生說笑了！」秦王政忍不住哈哈大笑起來，轉頭對趙高說：「你和這兩名侍衛都退出去！」

等趙高和佩刀侍衛退出便殿後，秦王政按捺不住好奇，接著又問：「尊夫人叮囑先生的第二件事呢？」

「哦，她要我別管別人的家務事。」

「對，尊夫人的話一點都不錯，家務事只有當事人最淸楚，別人干預，不是隔靴騷癢，抓不到癢處，就是揭人隱私，要被勸的人下不了台。」秦王政深有同感也帶著暗示說。

「臣老妻倒不是這些理由。」茅蕉帶點神秘的微笑。

「是什麼理由？」

「她有慘痛的切身經驗。」

「哦！」

「她有個獨生兄弟，也就是臣的妻弟。他們的母親因為順手牽別人的羊，遭到官府鞭笞之刑，妻弟引為平生奇恥大辱，從今以後不再喊娘，有時見面裝作不見，比對陌生人都不如。」

「這未免太過份了！」秦王先是有所感而發，但隨即警惕自己，茅蕉是在當說客，因此他只淡淡的問：「後來呢？」

「鄰居有一個年輕人喜歡多管閒事，有天當眾指責他不對，臣妻弟一時老羞成怒，一刀就將這個年輕人殺了。」

「啊，後來呢？」

「妻弟因此以殺人罪坐牢，臣岳母羞愧自責，也就自殺身亡。後來妻弟刑滿釋放，想起自己忍不住一時氣憤殺人，想起在母親生前總是傷她的心，最後又導致她羞恨自盡，愧疚得不得了，夜夜都在他母親墓前哭泣，末了他也在母親墓前自刎了。」

秦王政沉默不語。

「所以臣老妻告訴臣說，干預別人的家務事，自己失言喪命不說，一句話害三條人命，又使得她娘家絕嗣，太不值得！」茅蕉說到此地也就停下來，注視著秦王的反應。

很久，很久，就在茅蕉絕望想放棄的時候，秦王政突然長跪起來，誠懇的向茅蕉行禮說：

「先生在這件事上何以教我？」

此時，茅蕉也變得正經起來，他正色說道：

「秦國爲天下之至強，大王爲天下人注目的焦點，車裂假父，有嫉妒之心；逼死仲父，有恩將仇報之謗；擊殺兩幼弟，有不慈之名；軟禁太后，有不孝之行；蒺藜諫士，有桀紂昏暴之譏，天下聞之，盡皆寒心。假若再不聽別國國君之勸，一意孤行，秦國民心盡失不說，天下將皆輕視大王和秦國，聯合攻秦之日不遠，而且是師出有名，大王將用什麼來抵擋天下之怒？」

「寡人不知罪孽深重至此！」秦王政嘆道。

「知過即改，現在還來得及！」茅蕉語帶鼓勵的說。

「恐怕來不及了。」秦王政搖搖頭說。

「爲什麼？」這下輪到茅蕉驚奇了。

「寡人曾發誓，不到黃泉之下不和太后相見！」秦王政悔恨的說。

「臣當什麼難解之結，原來只是這樣。」茅蕉大笑說。

「先生有解結之法？」秦王政高興的問。

「太簡單了！」茅蕉笑著說：「何不效法齊姜的故事，挖地及泉，在地道中相見，那不就是相見於黃泉了麼？」

「謹奉先生之教，」秦王興奮的說：「先生可否遲行幾日，待嬴政和母親相見後，領受嬴政母子拜謝！」

5

動用了眾多人力，在三天三夜的時間裡，挖出一道深及地泉的地道。

茅蕉和少數幾個親隨人員陪秦王政走到坑道口，他笑著說：

「臣雖老矣，但一時還不想下黃泉，請大王單身下去，接太后出來。」

秦王政感激的望了茅蕉一眼，他知道母子三年首次見面，一定會有許多體己話要說，有外人在旁邊，眞情就難以流露出來。

他走在漆黑伸手不見五指的地道裡，坑道木架還不斷的滴著水，滴在臉上，滴進頸子，好冷好冷。他渾身顫抖，卻自知不僅是爲了冰涼的水滴，因爲他的心在發熱狂跳，幾乎要使他窒息。

腳下泥水在流動，深及足踝，他甚至感覺得出水流的急速。

他摸索著走了一段路，差點跌了好幾跤，黃泉路上眞難走，死後眞正的黃泉之路也不會如此糟吧？他在想，這簡直是黑地獄！

走了一段路後，他輕聲叫著：「娘！」在這種不見天日的地方，再喊太后或自稱寡人，眞是太無聊了。

「娘！」他再摸索一段路後，肯定地上的人聽不到他的聲音，他稍微又將聲音放大點，還是聽不到反應，爲了模仿陰間黃泉，地道裡完全遮斷光線，兩頭進出口都是採曲折式的。

他只聽到自己喊娘的聲音在地道內迴盪，還有坑道架滴水的響聲和自己的心跳。

母親的肚子裡大概就是這樣黑，這樣靜吧？想到母親懷胎「八月」的辛苦，自己卻因一點細行小節而虐待她，他有種愧疚想哭的感覺。

母親就是母親，他想起茅蕉說的故事，再怎麼樣，他不能讓這種悲劇發生在他的身上。

「娘！」他不顧一切大聲喊著，兒子叫娘，有什麼可羞恥的，哪怕是太后和大王！

「娘！娘！」他盡量放大聲音喊，地道那頭有了回應。

「嬴政，我的孩子！」三年未聽到，母親的聲音似乎變得陌生。

「娘！娘！我在這裏！」秦王政放開喉嚨喊，心中回憶起兒時叫娘的眞誠和急切。

「兒子！兒子！」

「娘！娘！」

他們不斷的叫著，爲的是確保前進的方向，也爲了發洩鬱藏已久的情緒。

他們終於在中途相遇，太后緊緊將秦王政抱住，兒子如今長得這樣高大，只能說是投在兒子的懷裡，她將臉伏在他的肩上啜泣著。

秦王政發現母親身上的衣服全濕了，顯然在地道的黑暗中摸索時，摔了不少跤。

「孩子，娘對不起你！」太后放聲大哭。

「娘！娘！」秦王政整理母親濕透了的頭髮，安慰她說：「是孩兒太狠心，對不起您！」

「地道很冷，娘的衣服也濕了，我扶娘上去。」秦王政憐惜的說。

太后緊靠在他懷裡，全身因冷和激動不停顫抖，她隨著他一步一步的順著地道的牆摸索前進，一面不停啜泣，像個剛從水裡撈出沒有淹死的小女孩。

「母親表面強悍，實際上是這樣脆弱！」秦王政在心中這樣想：「我又給她加上這多的痛苦，眞難爲她了，今後我一定要對她好點。」

他將母親抱得更緊。

出得地道，茅蕉等人行禮相迎，太后感激的對茅蕉說：

「先生爲天下亢直之人，使哀家母子離而復聚，秦社稷危而復安，全仗先生之力！」

茅蕉連忙謙謝。

當晚，秦王政在母后居處甘泉宮，以盛大晚宴接待茅蕉，太后亦親臨，諸宗室及重臣全部參加。

酒至三巡，秦王政先向母后敬酒，然後又向茅蕉敬酒致意。他私下向茅蕉說：

「母后的意旨，想留先生長在秦國教導寡人。」

「臣使命在身，幸不辱君命，還要趕回齊國，將大王母子團聚的好消息回報敝國國君。」

「替寡人體諒母后的用心，讓寡人盡點孝心吧！強留先生是太后的意思，貴國君之處，寡人自有交代。」秦王政懇切的說。

茅蕉聽秦王政如此說，也只得答應了。

秦王政當著太后及群臣宣佈：

「立茅蕉爲王傅，爵上卿。」

6

蘄年宮議事殿的密室裡，時間雖已午夜，猶是燈光輝煌。

秦王政親自主持這項御前會議，參加的共有八位宗室及舊臣。他們是以左丞相嬴非、右丞相王綰爲首，自呂不韋罷相國以後，秦王政不再設總管政事的相國，而是分由左右丞相治事，分別向他負責。

參加這項會議的，例外還有兩位武將，一位是大將軍桓齮，一位是裨將軍王翦。他們去年攻鄴，連取九城，王翦表現特別優異，用兵佈陣，桓齮都自嘆不如，特別向秦王政推薦，要他參加這項會議，也是表示重視他，讓他能參與國家最高決策。

桓齮首先報告攻鄴勝利經過，將功勞都加在王翦頭上，顯示出他對他的激賞。

接著是左丞相嬴非的報告，他揭穿國際間對秦的一項陰謀——

韓國接壤秦國，飽受秦國遠交近攻策略之苦，本身小弱，無法抗拒，秦兵攻楚，更是常向韓國借道，罷兵回國，順便攻擊擄掠一番，韓國飽受兵連禍結之苦。

後來有人獻計，韓王派了水利工程師鄭國來遊說，建議自雍地雲陽縣西南二十五里起，至中山西郊瓠口止，傍北山而開渠，東引洛水，全長三百餘里，可灌田地無數，目的是要將秦國人力、物力和財力都花費在開渠，而無餘力再從事東征。

嬴非最近得到消息，察覺了這項陰謀，前相國呂不韋所以批准，完全是爲了他的利益集團著想，因爲水渠開成後，沿岸荒地變成良田，他們的利益不知要增加多少倍。

再有，這項消息他是由別的管道獲得，而主管情報的李斯卻一無所知，表示他有所偏袒，知情不報，損害秦國利益太大。

他的結論是——

諸侯各國人士來秦，有人是為了秦地新開發，有利可圖，一心一意謀求自己的利益，雖貴為大臣，並不惜損害國家利益，利用職權，官商勾結，最好的例證是前相國呂不韋。

有的是為各國當間諜，受到秦國重用後，利用職位為各國遊說或是提供情報，而對各國的動態則偽造情報，或是知情不報，譬如李斯。

有的更是非我族類，其心必異，得到權勢陰謀造反，根本不想秦國對他的恩惠，嫪毐就是最近的例子。

他這一帶頭提出後，眾宗室大臣紛紛發言，舉出很多例子證明，外國來的客卿個個靠不住。

蒙武雖然站起來為李斯辯護，但為眾人的聲音所壓制下去。

群臣的言論正合秦王政的心意，因此他只含笑讓各大臣盡情發言，並不加以阻止。

最後，他根據群臣的提議作成幾項決定。

第一，鄭國渠立即停止建構，秦國力量主要放在對外發展，能夠征服天下，兼併各國，就有耕種不完的肥沃土地，到時各國俘虜都是用之不竭的人力。

第二，外籍客卿一律驅逐，限期出境，小生意人可留下，有壟斷利益及大批田地的外籍商人兼地主，全部限期歸國，產業收歸國有，田地分給原佃農價購，折價分期歸政府。

第三，客卿李斯掌管的情報業務交由車府令趙高掌管，李斯亦在驅逐之列。

第四，呂不韋畏罪自殺，門客竊為厚葬，並有數千人送葬和爾後前去祭墓者，這些人全有登載紀錄。若是外國人，驅逐出境，秦人送葬或是哭祭者，六百石以上官職者奪爵，謫遷房陵守陵；五百石以下，不奪爵亦遷房陵。凡是未參加送葬或祭墓的秦籍舍人門客，不奪爵，但遷居房陵。

秦王政為了表示決心，在作成結論以後，不再像平日一樣詢問群臣有何意見。

蒙武對由宦者掌理情報總感不安，這表示秦王的情報網不再是針對外國，亦將用在國內各大臣身上，這會造成宦官掌權，乘機挑撥君臣彼此的信心而遂行自己的私慾。但秦王已宣佈散會，他想等有機會再說。

看到群臣紛紛行禮離去，秦王政心中有種說不出的滿足和得意。

7

自認忠心於秦的李斯也接到秦王的逐客令，並限在三天之內離開咸陽。

他一面命自韓帶來的家人李福收拾行李，一面灑脫的自嘲：

「一把破劍，兩箱舊書簡，孤伶伶一身，不要三刻時辰就可遨遊四海，何必要等三天！」

今天早晨一接詔命，他就將情報業務交給副手，讓他去向趙高作交代，看來秦國又會走上商鞅變法以前的宮廷專制路線，秦國事不可爲，走了也好。

他決定今晚睡個好覺，明天一早動身，行程第一站，當然是先回韓國老家看看，拜見一下恩師荀卿。來秦以後，老師和他曾有數次書信往返，他正逐漸走向得意之途，免不掉在信上大談抱負，老師每次的來信，除了鼓勵他施展抱負，以秦國作儒家王道的實驗場，爾後推展到全天下外，也不忘要他盡力促進秦韓之間的邦交與和平。

但他從未想過秦韓之間應該有邦交與和平。韓國雖小，卻有如鯁在秦國喉嚨的一根魚骨，阻礙它的對外發展，攻擊趙魏，深怕韓截擊其後；想伐楚，韓正是一塊擋在路中間的石頭，所以他始終勸秦王消滅韓國，先吞下這根魚骨，就可大口併吞其他的國家。

這也許是他想衣錦榮歸的潛意識促使他這樣，但無論怎樣，這表示他忠心爲秦，連自己的故國也不除外，可是這些宗室舊臣卻說客卿個個是為本國作間諜，這種話寃枉了多少以天下為己志的仁人，首先就是他李斯！

想到這裡，他再怎樣也睡不著了。他披衣起牀，剔亮油燈，就著燈火寫份上秦王政的疏。

臣聞吏議逐客，竊以為過矣。昔穆公求士，西取由余於戎，東得百里奚於宛，迎蹇叔於宋，來邳豹、公孫支於晉……孝公用商鞅之法，移風易俗，民以殷盛，國以富強……惠王用張儀之計，拔三川之地，西併巴蜀，北收上郡，南取漢中……散六國之合縱，使之西面事秦……昭王得范睢，廢穰侯，逐華陽，強公室，杜私門，蠶食諸侯，使秦成帝業……向使四君卻客而不內，疏士而不用，是使國無富利之實，而秦無強大之名也。

今陛下致昆山之玉，有隨、和之寶，垂明月之珠，服太阿之劍……此數寶者，秦不生一，而陛下悅之，何也？……夫擊甕叩缶，彈箏搏髀，而歌呼嗚嗚快耳者，眞秦之聲也……今棄擊甕叩缶而就鄭、衛，退彈箏而取昭、虞，若是者何也？……今取人則不然，不問可否，不論曲直，非秦者去，為客者逐，然則是所重者在乎色樂珠玉，而所輕者在乎人民也，此非跨海內制諸侯之術也。

臣聞地廣者粟多，國大者人眾，兵強則士勇，是以泰山不讓土壤，故能成其大；河海不擇細流，故能就其深，王者不卻眾庶，故能明其德……今乃棄黔首以資敵國，卻賓客以業諸侯，使天下之士退而不敢西向，裹足不入秦，此所謂「藉寇兵而齎盜糧」者也。

夫物不產於秦者，可寶者多，士不產於秦者，而願忠者眾，今逐客以資敵國，損民以益仇，內自虛而外樹怨於諸侯，求國無危，不可得也。

書寫完畢，李斯擲筆而起，胸中鬱悶消除不少，他在室內走動，一面在心中感嘆：「此疏上去，未必見效，呂不韋和嫪毒事件給了秦王太大的打擊，而呂不韋到底是商人出身，凡事只講求利潤，只顧圖一己私利，不懂治國平天下之道，甚至動搖秦國以農為本的基礎，限制了它今後平天下的國力，難怪秦王要如此做！」

「唉，曉風殘月，明晚又該夢醒何處！」他長長的嘆了一口氣，有著書劍飄零的落寞。此時，他忽然想起蒙武，他們年紀相當，意氣相投，蒙武一直在秦王面前支持他，因為他們有共同的志向——為秦統一天下。

唯一不同的地方是蒙武個性剛直，不通權變，不如他李斯能趁勢順機。可是想不到李斯平日自負，善於將危機變成轉機，看樣子這次敵不過秦王政剛愎自用的個性。
他決定不向蒙武辭行，明天順道在他府門前，將上秦王疏交門房轉交。
想著想著，他又用另一塊絹寫了幾句話給蒙武。
他安心的上床，很快就睡著了。

8

秦王一遍又一遍的細讀蒙武呈上的李斯〈諫逐客疏〉，看到深得其心之處，還敲擊几案興嘆。最後他將疏交給侍立身後的趙高說：
「你拿去看看，眞是絕好的文章！」
趙高跪下雙手接過去，就這樣跪著閱讀起來。
接著秦王轉向侍坐左側的蒙武說：
「李斯的確是宰相之材，可惜不是秦人。」
「大王認爲他書中的話是否正確？」蒙武恭敬的問。
「再正確也沒有了。」秦王臉上流露著佩服。
「既然正確，就表示大王認爲逐客之舉有商榷餘地了？」蒙武緊緊追逼。

秦王政一時語塞，不知如何答覆，他轉臉看看趙高，趙高已看完捲好，又再雙手遞還秦王政，秦王問道：

「這樣快就看完了，有什麼意見？」

「文章絕佳，只是立論不合時宜！」趙高仍然跪著回答。

「哦，你站起來說，哪個地方不合時宜？」秦王坐著說。

趙高遵命起立恭身說：

「秦國昔日國小地窄，沒有人才，所以要借重外才，但如今地大物博，人才眾多，再借用外才，不但會引起舊臣怨懟，形成對立黨派，而且有的的確是在為敵國做間諜或遊說，將故國利益放在秦國利益之上。」

「嗯，你的話很有道理，」秦王又轉向蒙武問：「蒙卿家的意思呢？」

「趙侍中也是趙國人，難道就對秦國不忠？」蒙武指著趙高叫陣。

蒙武一直看不慣趙高那副猥瑣的樣子，見到他說話時不停轉動的小眼睛，更是無端會起厭惡，心中作嘔，偏偏每次面對秦王議事，趙高總站在秦王身後，要看秦王就必須看到他，而偏偏十次有八次秦王都要他參加意見。

「奴婢雖是趙國人，可卻是大王的舊臣，蒙大人不要忘記。」趙高下面半句話不敢說出來——我還是自小和秦王一起長大的總角之交！

秦王政和往常一樣，微笑著看他們爭論。在他的眼中，趙高是一隻醜陋的哈巴狗，雖然又小又醜，但搖尾乞憐，用舌頭舔你的臉所引起的愛憐，他不能不承認他可愛。一時不見，還像缺少點什麼，而且他所提出的見解，多半也是中肯合理的。

而蒙武在他看起來像頭年輕力壯的獅子，驕傲自負，目光心胸寬大，有不羈之才，看問題有卓越超人的見解，稍經磨練，會是上選的將相棟樑之材。

他喜歡看這兩個人鬥嘴爭辯，就像看一場雄獅鬥狗的遊戲，獅子雖猛，大開大闔用盡全力，卻往往爲哈巴狗善於閃避騰挪的小動作所困窘，最後弄得精疲力盡，兩者都佔不到便宜。

「大王的看法又是如何？能否指示臣等？」蒙武這次急著解決問題，不願節外生枝和趙高爭論。

秦王政沉吟不語。蒙武和趙高都是他的親信心腹，經常接近他，都明白秦王出現這種神態，接著就是他出人意料的決定，果斷迅速，不容其他人再作異議。

但兩人不知道秦王政的決定到底偏向誰。

「蒙武。」秦王政突然發聲，將焦急等候的蒙武和趙高都嚇了一跳。

「臣在！」蒙武恭敬的回答。

「派你迅速查看李斯是否已走，不管現在何處，都要找來見寡人！」

「趙高！」秦王又喊。

「奴婢在！」趙高心不甘情不願的回答。

「擬詔書，撤回逐客令，待寡人看過後用璽，即辦！」

「是！」趙高看看興高采烈的蒙武，很難過這場爭論這樣快就輸給了他！

9

蒙武急忙趕往李斯府邸，在半路上他還一直在想如何跟他措辭，因爲他認爲李斯雖爲客卿，官並不大，但偌大府第，說要解散善後，總得費一點時日，詔命上限三天，應該是在第三天走。

誰知道李斯做事乾脆俐落，一天之內就將諸事處理就緒，第二天就走了，信到他手上時已是下午的事，現在秦王命他留客，李斯已經走了好幾個時辰。

他望著空洞洞的庭院，想起和李斯的交情，不免有點感傷，但記著秦王的命令，李斯無論在哪裡都要帶回來，這是一項「絕命」，含有找不到李斯就不要回來見他的意味。

他急忙又趕到東門，找到司閽察問。門監告訴他，早上辰時李大夫就帶著一個家人，駕著一部單馬安車出了城。

蒙武心裡越急，越想不出好辦法，儘管天已秋涼，英俊的臉上卻流滿汗珠。小個子的門監看不過去，請他進到門守的小衙門裡，為他斟上一杯茶幫他出主意。

「李大夫出秦一定要經過函谷關，」門官說：「只要交代函谷關的守將注意就好！」

「你不知道，要下軍令須得請到王命，這又得花費時間，同時前命只限三天離開咸陽，李大夫又是書呆子脾氣，假若他遊興大發，在秦境遊山玩水十天半個月的，我到哪裡去找他！」蒙武自言自語的發牢騷。

「那也是啊，」門官附和著他說：「他若離開大路，不經關卡，在渭水上釣半個月的魚，主上就會等不及，蒙大人你也就沒辦法在主上面前交差，那真沒面子！」

「是啊，」蒙武不自覺的也學著門監的口吻：「這點事也辦不好，真沒面子！」

「那也是啊，請王命下軍令要費時間……」門監沉吟著，忽然他一拍大腿，高興的說：「嘿，我倒想起一個辦法！」

病急亂投醫，他並不指望這個看來呆頭呆腦的矮子會有什麼好辦法，但他還是要姑且一聽。

「請教有何辦法？」蒙武拱手行禮。

「蒙大人，千萬別這樣客氣，大人肯坐下來喝小人一杯茶，就是給小人莫大的面子了，行禮小人擔當不起。」

「請教！」蒙武是急驚風碰到慢郎中，他急欲知道辦法，這個小個兒門監卻和他歪纏，但是他自己要問別人，他官雖大，也不能翻臉發脾氣，他又拱了拱手。

「大人，」門監連忙搖手制止，他不說答案反而問了蒙武一句：「秦國什麼系統最嚴密，辦起事來最快？」

「緝拿人犯系統吧？」蒙武不懂他問話的意思。

「對啊！」門監又拍了拍大腿（這老小子真是得意忘形）說：「蒙大人去向廷尉報案，說李大夫盜了機密文書出秦，不出三天，哦，他才走沒多久，不出幾個時辰，不管他在渭水上釣魚也好，在官道上趕路也好，包管有人送他回咸陽，你只要坐在家裡等就好了。」

「這樣不好吧？」蒙武猶豫的說。

「那小人就沒有辦法了！」門監不說話，露出送客的神色。

蒙武告辭，門監恭送。

蒙武上馬再仔細一想，稍加修改，這個主意的確可行。他明白，假若直接向廷尉說出秦王命找李斯，這位宗室大臣可能陽奉陰違，拖延時間，加上沒有王命，說不定根本置之不理，因爲李斯在秦王面前言聽計從，早已是這些宗室舊臣的眼中釘。往更壞處想，這班人知道秦王急著找他，也許會設法逼他走快點，才好除去這枚眼中釘。

於是他向廷尉報案，說是他有份機要文書爲李斯借閱，他不小心帶走了，希望搜查李斯下落，並暫時扣留，不准出境。

蒙武是秦王的心腹大臣，這項機要文書當然非同小可，廷尉立即飛出傳騎，下令全國偵緝系統，搜查李斯下落。

蒙武離開廷尉，找了兩匹快馬，帶著一名家人沿途趕去，他默默祝禱：

「李斯兄，也許會讓你受點委屈，但這也是沒辦法的辦法，待見面時再當面道歉吧！」

果然，他快馬直追，沿途打聽，一天一夜以後在麗邑縣尉衙門見到李斯。因爲李斯是名臣，只受到軟禁的待遇，準備押送咸陽，但也忍受了幾個時辰的驚嚇。

李斯看到蒙武來，高興的跳站起來，大聲向他說：

「武兄，你來得正好，我奉秦王命離境，這裡的縣尉卻說我私帶機要文書出國，將我的行李都搜遍了，搜不出還是不讓我走，這是怎麼一回事？」

「斯兄，事情一時說不清楚，我這裡先道歉，你受的委屈我日後會補償。」

蒙武拿出證件證明自己就是報案人，縣尉一聽是蒙武，連忙趕辦領人手續，將李斯交給蒙武帶走。

出得縣尉衙門，李斯仍然是一臉不高興，蒙武陪笑說：

「斯兄受一點委屈也是值得的，小弟是奉秦王命特地請斯兄回去，一時無法，只有出此下策。小弟趕了一天一夜的路，途中只吃了點乾糧，先找家酒家，喝點酒細談。」

在一家具有鄉土風味的酒館，兩位大臣找個清靜雅房，要了酒菜，據案大嚼，菜味本來就不錯，尤其是配上古法泡製的汾酒，一面飲酒一面談未來軍國計劃和個人抱負，蒙武家人在一旁侍候，不知不覺竟談到東方發白，意猶未盡。

據兩人日後回憶共同承認，那天他們喝到平生最好的酒，吃到最好的菜，他們對人談話也從來沒有這樣坦誠過。

10

秦王和李斯談了一天一夜，蒙武在旁侍坐，三人臉上都未帶絲毫倦容。

秦王政佩服李斯所學包羅萬象，上至天文，下至地理，更深通刑名經濟，眞可與中隱老人媲美。更重要的是他熱衷名利，可與之有所作爲，不像他跟中隱老人初見，老人就已老邁，雖教他各種學問，卻並不刻意激發他有所爲的雄心，老人只要他凡事順其自然，水到自然渠成。

聽老人訓話如食淡茶白飯，也許是日常必須，不無營養，卻食久無味，只是爲了有所受益，勉強聽下去。好在老人也不願多說話，凡事點到爲止，要他自己去想，要像這樣談一天一夜，恐怕他早睡著了。

但李斯不一樣，他的談話像烈酒，喝一口就會興奮，還想再喝一口；他的見解像辛辣菜餚，入口就感刺激，越吃越想吃。

李斯向他分析了天下大勢，說明各國的強處及弱點，結語是：經過秦國這多年的用間和挑撥分化，諸侯各國合縱之約已解，近年來更是互相征伐，血戰不已，秦國如今應趁各國兵連禍結，民生凋敝之際，迅速出兵平定天下。

他又提出：欲滅六國，首先最有利的目標是韓國，因爲韓地小民弱，容易征服，在戰略上吞掉韓國，一方面可以先聲奪人，使天下震恐，另方面師一出即竟全功，對我軍士氣和自信都有增益的效果。

蒙武在一旁插口取笑他說：

「李大夫是韓國人，提出首先滅韓的主張，不怕故國父老怒罵嗎？」

「蒙大人差矣。」李斯正色說：「天下本爲一，只是周室積弱，歷代共主昏庸，才造成諸侯割據、自相殘殺、民不聊生的慘況。滅六國統一天下，正是我大王替天行道的義舉，因爲只有統一，天下才能免卻戰爭之苦。」

這正合秦王政的心意，他忍不住擊案稱好。

「至於我本人，」李斯又繼續說：「一向以天下人自居，只要對天下黔首有利，犧牲性命都在所不惜。何況，首先滅韓，也就是首先讓韓解除戰爭之苦，蒙大人要是肯進一步仔細想，也許還會說在下偏袒自己的故國呢！」

「不錯，」秦王政有所悟的接著說：「先攻佔韓，在我可以解除爾後出兵趙楚側背的威脅，在韓也可免去多少年來借道及戰禍波及之苦，這是一舉兩得的事。」

蒙武笑笑不再說話。

另外，李斯取出幾張帶來的羊皮地理圖，他一一展開在几案上和秦王政及蒙武觀看。只見這些地理圖繪得非常翔實精細，舉凡地形要點、通路、城市、村落、糧食、水源地等的人口和人力與資源提供能力，全都清晰的註出。

「先生眞是有心人！」秦王政讚嘆。

「臣一向以天下爲己志，尤其在秦這幾年奉命主持間諜系統，對各國人物、天時和地誌，莫不盡力蒐集。」

秦王政點頭稱好。

李斯跟著話題一轉，談到秦國內政的種種得失，他總結說：

「秦地民風淳樸，怯私鬥而勇公戰，重法紀而不徇私，這是孝公變法所留下的遺風，但自呂不韋當國這多年後，官民風氣都逐漸敗壞，常發生官商勾結共謀利益的情事。由於工商業發達，各國商人雲集，將各國尤其是楚趙的頹廢淫亂之風帶來，民風走向澆薄自私，唯利是圖，追求個人享受，而置國家鄉里於不顧，財富逐漸集中於少數人之手，特別是外國商人之手，這種情形繼續下去，再過若干年，就會出現農村破產，農民無以為生，集體流入城市，而城市無法容納，種種亂象將由此而生。」

「先生認為應該如何防止？」秦王政憂形於色的問。

「再用商鞅之法，並予加強，重農抑商，以維國本。」李斯簡要的答覆：「發展國家經濟，節制私人資本，以積國富。」

「願先生助我。」秦王政誠懇的要求。

「臣當一一擬定詳細計劃，再請大王過目。」

「好！」秦王擊案。

在討論完敵我情勢和內政得失以後，秦王政等三人共同得到一個結論——

整理內政與併韓同時進行，然後視情況先滅趙魏，再及燕楚；齊國地偏，與秦不接鄰而最富強，於最後集中力量滅之。最重要的戰略改變是：秦國不再像以前那樣蠶食各國，適可罷兵，而是按先後次序，全力整個吞併。

11

中隱老人主動派侍僮找秦王政來，在秦王政坐下後，兩者有以下一段談話。

「聽說你和李斯談了一天一夜，而且很中你的意，是嗎？」

「老爹眞是隱者不出門卻知天下事，誰告訴老爹的？」

「宮中正在盛傳，何必要人告知？只是我要事先提醒你幾句話——水到渠成，順其自然，凡事強求，必有惡果。」

「不過，如今諸侯自相征伐，財竭民窮，正是出兵統一天下的良機。」秦王政信心十足的說：「老爹不也是常教我，統一天下，徹底根絕戰禍之苦，解救天下人民於倒懸？」

「秦國不至於財竭民窮，乃是憑藉巴蜀富饒的財源。但這幾年的連年戰爭，十五歲以上壯丁死傷過半，你撫死恤傷還來不及，就想出兵征服天下？」

「時不我予，等到各國休養過來，再合縱對我，就後悔莫及了，我想乘機順勢，也應該是所謂順其自然吧！」秦王政帶調皮意味的笑著說。

老人長長的嘆口氣，然後閉目說道：

「你眼前的神態，使我想起你的先祖秦孝公！」

「我們兩人有何相似之處？」秦王政顯得非常高興，與使得秦國由偏僻附庸一變爲天下強國的秦孝公相比，本身就是很大的讚譽。

「我想起商鞅說孝公的故事。」

「哦，」秦王政有點失望，但由於好奇，還是說：「願聞其詳。」

老人咳嗽清了清喉嚨，表示這段話會相當長：

「當年商鞅以孝公寵臣景監求見，頭次見面，商鞅言事，孝公不時打著瞌睡，等到商鞅走後，孝公怒罵景監，說他介紹來的人是個瘋子，說的盡是狂言亂語。景監以此責怪商鞅，商鞅說，我向孝公說的是帝道，他聽不懂。過了五天，孝公主動找商鞅去，這次談話比較投機些，但還是不能合孝公的意。於是孝公責備景監，景監轉過來怪商鞅。商鞅說他這次是談王道，孝公還是聽不進去，請再給他最後一次機會，說不成他就回家去種瓜了。」

老人帶笑的看著秦王政，只見他正聽得出神，他調侃他說：

「你不是在睡覺吧？」

「老爹，怎麼會！」秦政王也笑起來：「後來呢？」

「孝公卻不過景監的懇求，於是再召見商鞅。兩人相談，數日不厭，在談話當中，孝公都不知道自己怎麼會將頭都伸到席案前面來了！於是景監問商鞅，這次怎麼能使孝公如此滿意。商鞅說，這次我談的是霸道，孝公因此大悅。而孝公最後告訴商鞅說，行帝王之道，等得太久，他沒有這個耐心，行霸道能及時看到國家富強，這才合他的意思。」

說到這裡，他問若有所思的秦王政說：

「讓我考考你，何謂帝道？」

「好民之所好，惡民之所惡，天下共舉，依然辭讓，其人之出，天下慶幸，堯舜是也。」

「何謂王道？」

「一心行仁，澤及百姓，萬國景仰，莫不願爲其民，征伐一地，多地盼王師，如商湯周文等。」秦王政回答。

「那霸道呢？」老人笑著問。

「修刑厲法，富國強兵，使民懷刑畏威，以法服人。」

「你很懂治國平天下之道嘛！」老人嘆嘆氣說：「堯舜以前爲公天下，有德者居之，由天下選出來的共主，當然天下心服，這種制度應該行之有千萬年，雖無史可考。所以行帝道時，天下太平，人民不知有帝，只在危難時才會想起。行王道已是家天下，爲爭王位雖然發生戰爭，但戰爭時短，太平日久，人民安居樂業的時候多，所以商能維持六百多年而後敗亡，周能維持八百年而後崩潰，但行霸道以力服人，力消即衰，力盡則亡。」

「但自秦孝公行霸道一百多年，秦國卻日益富強。」秦王政不服氣的說。

「要我說實話得罪你呢？還是要我編謊言讓你心喜？」老人睜大眼睛注視他，神情顯得非常憂鬱。

「當然希望老爹說眞話。」秦王政誠懇的說。

「自孝公變法迄今一百多年中，秦國對外發動多少次戰爭？秦國在國際上所得到的稱號是強秦和虎狼之國。各國君主畏懼不說，各國百姓莫不痛恨，比之當時武王之師，各國盼望如久旱望雲霓，差了十萬八千里，所以才有天下合縱與連橫之議。合縱是合力對秦，連橫是共同事秦以避刀兵，全都是畏懼的結果。至於秦國百姓如何，我不說，你可以自己去看看。」

老人閉上眼睛，臉色沉痛。

「老爹！」秦王政懇求的喊著。

「秦國行霸道，力尚足控制秦國，但一推廣到天下，不用等多久就會力竭而亡。」

「那我先以武力征服天下，然後行仁道呢？」秦王政悚然而驚，想出折衷辦法。

「有人向南方走，他告訴別人說，等我走到南方極處，我就會回向北行，你相信嗎？」

「……」秦王無語。

「注意李斯，商鞅尚有兩次不合王意，最後一次才作逢迎，而李斯一次逢迎就使你如痴如醉，他比商君更沒有原則，更會見風轉舵，善於投機者不可靠！」

老人閉目不再說話，秦王知道該告辭了。

第12章 龍騰之前

1

室外西北風怒號，蘄年宮南書房卻室內如春。

金盆獸炭，火勢正旺，琉璃燈照明的四壁，也抹上一層淡淡的紅。

秦王政的書案上，奏簡文書堆積盈尺，他埋首其中，迅速的批閱，眉頭卻始終是緊皺著的。

丞相奏簡上說，今年天時壞得特別，四月天氣猶寒，路上竟發現凍死人。同時天大旱，到八月才下雨，農民春秋的收成全都落空，要不是為了軍糧補給，在各地廣設穀倉，緊急由巴蜀運來餘糧，早就會鬧大饑荒了。趙魏兩國就已傳出了饑饉，百姓吃草根樹皮、易子而食的消息不斷。

他在丞相王綰的奏簡上硃批：

「糧倉應增設，道路要多建！」

他丟下玉筆，在室內走動，掀開南窗的厚重錦簾，看到的是滿天烏雲，與宮內未熄的少數幾盞燈光，遙遠得像是天邊的寒星。

「快下雪了！」他自言自語：「十月的天就這樣冷，百姓的冬衣恐怕還未來得及準備！」

「陛下也該休息了。」趙高在身後啓奏。

他回頭望了望這個身材矮小、面目醜陋的兒時玩伴，心上浮起些許愧疚。自從失去成蟜以後，他是他唯一可以吐露心事的人，雖然趙高過度拘謹謙順的樣子，常提醒他趙高是奴才自己是主子的事實，使他無法和他暢所欲言的交談。

可是趙高的確可愛，他想見他的時候，他一定會在身邊，不想見他的時候，他一定不在；平時趙高很少開口，但他想聽什麼話，趙高總是會適時適地的說出來。

「什麼時候了？」他隨口問。

「子時已過，陛下該休息了。」趙高懇切的說：「要爲天下人保重玉體。」

「寡人何嘗不想早休息？」秦王政苦笑著說：「事情沒辦完，只是想到民間缺糧，上床也會睡不著。」

「陛下英明仁慈，只怪王丞相等人不能爲陛下分憂！」

秦王政看看這個神情猥瑣的閹者，沒有說話，心裡卻在想，趙高眞是個會隨時抓住機會恭維和挑撥的人，但奇怪的是他不會討厭他！

「王綰、蒙武、李斯都是很能做事的人，但寡人不想再有呂不韋的事情發生，淸除呂不韋和嫪毒的餘孽已傷了國家不少的元氣。」秦王政笑著說。

「是，不過……」趙高看了看秦王政微露倦容的臉，沒有說下去。

「說啊，趙高，不過什麼？」秦王政微笑著催促。

「奴婢認爲，陛下意在天下，統一天下指日可待。可是得之不易，守之更難，將來政務的多與繁，絕對不是君王一個人所獨力負擔得了的，陛下天縱聖明，精力過人，應付沒有問題，但千萬代子孫中，總會出一兩個資質平庸精力不濟的人。」

趙高說到這裡停住，又觀察了一下秦王政的臉色。

只要提及政事和千萬代爲王子孫，秦王政的精神爲之一振，臉上些微的倦容立即一掃而空，他笑著說：

「趙高，來，坐下說！」

秦王政先在正中的几案前坐下，擺手示意要趙高坐在下首几案。

「奴婢怎麼敢？」趙高躬腰屈膝，誠惶誠恐的說。

「趙高，私下不要太過拘禮，不坐下怎麼議事！」秦王政用命令的口氣說。

「是，奴婢遵命。」趙坐在下首几案前，依然是半跪姿勢。

「繼續剛才的話，說下去。」秦王政看到他半坐半跪的姿態，心想這不比站著還累人？但他不方便再管。

趙高娓娓而談，提出了一套完整的做法。

他的建議是建立一套權能分開的制度，丞相和國尉率領屬官辦事，分掌軍政事務，但決定權在君主。換句話說，君主只要提出構想和要求，丞相和國尉就應按照君主的意圖擬訂詳細計劃，待君主批准後執行，不再有獨攬政事的權力。而國尉在軍政方面不再經過丞相，直接向君主負責。

同時加重御史大夫的職權，要他不再是丞相伴食的副手，而是獨立行使職權，考核和監察百官，包括丞相在內，另外對君主也有勸諫的權責。並且御史體系應由中央到地方，形成一個整體。

爲了防止呂不韋事件的重演，應設置一個祕密機構，掌握在君主自己的手上，隨時偵伺中央大臣及地方首長的言行舉動，向君主提報，使君主耳聰目明，能夠知道這些人的一舉一動，有事可預先防止。

這些偵伺人員又可分明派和暗捅。明派方面，朝中重臣和地方首長或分封君侯的機要人員，必須由君主指派，而暗捅人員則不暴露身份，分置在各便於監視的職位上。

明派可以震懾大臣或地方首長不得有異心，暗捅人員則是要受監視的人時時事事戒愼恐懼。

再有就是擴大廷尉的職權，雖然廷尉屬於九卿之列，地位不如丞相、御史大夫、國尉等三公，但秦要以法治國，就必須將廷尉和地方的郡尉、縣尉、亭尉接連在一起，形成一張完整嚴密的法網，由廷尉負責管理執行，而網綱掌握在君主手上，收發順心，運用自如，用來對付所有不法之徒，只有君主個人例外。

聽完趙高這一套做法，秦王政不得不對他另眼看待，以往只知道趙高深通刑名獄政之學，還了解他為人深沉富於機心，卻從未想到他的思考也是如此周密。

「趙高，寡人很同意你這套構想，先去擬訂詳細的組織體制，拿來寡人看，然後再決定那個祕密機構的首長和廷尉的人選。」

「是！」趙高恭敬答應。

秦王政忍不住想：趙高也眞是天賦異稟，精力過人，他白天主持國際情報工作，晚上還得陪侍他，卻一點也不顯疲態。何況他已去勢，照說閹掉男性象徵，身體會女性化，精力也會衰退，但他卻超乎常人。

「陛下早點休息吧。」趙高正要出外找人掌燈籠送秦王回寢宮，只見一近侍慌慌張張的進來跪稟：

「太后駕到！」

「趙高，你先回去休息，太后如此晚來，不知有什麼急事。」秦王政皺著眉頭向趙高說。

2

「母后駕到，兒臣未能遠迎，請恕罪。」秦王政拜見了太后。

太后在上首席案前坐下，擺擺手要秦王坐回正中的主位上。

「母后深夜到來，不知有什麼緊急事？」秦王政關心的問。

自地道重逢的悲喜劇發生以後，秦王政才發現到母親只是個可憐的女人，十幾年時間裡，連死三個男人和兩個兒子。除了莊襄王以外，全都是直接死在他的手上，他不免懷有內疚。

自從迎接母后返居甘泉宮後，他更感覺到世上只剩下他是母親唯一的親人，母親對他有種相依為命的依賴。因此他從內心憐惜她，不但按照體制每天晨昏定省，而且只要抽得出時間，他都會盡量陪她，可是他抽得出的時間實在太少。

「沒有事，」太后像怕打擾了別人的小女孩，臉上有點靦腆的說：「年紀大了，睡眠少了，往往會半夜醒來。剛才問繡兒，她說你南書房的燈未熄，我想你還未睡，所以過來看看。」

她看了看秦王案前成堆的奏簡文書，面露關切的又說：

「寅時都快過了，還不睡，小心壞了身子！」

「事情不做完，上床也睡不著。」秦王政笑笑說。

「君王的事，什麼時候會做得完？多分點給下面做。我見過你先祖孝文王辦事，也伺候過你父王莊襄王治國，沒見他們這樣從早到晚的忙，國家還不是治理得好好的。」太后很顯然不贊成他凡事躬親的作風。

秦王政在心裡想，呂不韋和嫪毐事件就是孝文王和莊襄王治國作風所造成的惡果。要在以前，他就會直言出來，但現在看到母親出現了皺紋的臉，以及已經發胖的臃腫身軀，他不忍傷她的心，便忍住就要脫口而出的話。

「是，母后。」秦王政恭敬的說：「兒臣剛才和趙高還在談論權能分開體制的事。」

「趙高？」太后臉上露出厭惡的神色：「閹者不能重用，歷史上、傳聞中，寺人亂政的事，比比皆是。」

「是，母后。」秦王雖想說趙高此閹不同，但他仍然沒說出，只要牽涉到這方面的事，恐怕會觸及母親的舊痛。

「好了，我不是來和你談這些的！」太后微笑著說：「第一，我要你愛惜身體。別的太后勸兒子愛惜身體，多半是勸少喝酒，對女色要有所節制，我這個太后勸你這個兒子，卻是要勸你少操勞政事，多做點消遣和娛樂。過猶不及，兒子，你應該懂。」

「母后教訓得是，體制建立好，政事分層負責，兒臣也許就不會這樣勞累了，到時候去多陪陪母親。」秦王政刻意討母親的喜歡。

「你這樣大了，自有主張。」太后開心的笑：「第二，你也該找個人伺候你了。」

「伺候我？」秦王政驚詫的微笑：「宮中服侍我的人好幾千，衣、食、住、行，樣樣都有專人司職。」

「你扯到哪裡去了！」太后笑著說：「我是以普通母親的身份和兒子說話，你都廿五歲了，還不打算立后？」

「立后？」秦王政支吾著說：「一時還找不到適當的人。」

「蘇夫人怎麼樣？她幫你生的兒子都快滿周歲了！」

秦王政知道太后喜歡蘇喜，人美而端莊，最討人喜歡的是她從不多話，也不過問政事，只盡一個普通女人對一個一般男人的責任。在她眼中，秦王政不是君王，她也不是貴夫人。

秦王政不是不好色，他經過中隱老人的調教，身體健康，精力過人，在男女方面更是天賦異稟。但他遺傳有生父呂不韋的性格，不願為女人所控制。

他十八歲初近女色，不說沒立初夜的女人為后，仍只是姬妾身份，而且連個夫人的稱號都不給她。

以後他幾乎夜夜都有女人，也納有不少姬妾，連生了幾個女兒，一直到蘇姬爲他生了長子扶蘇，才封她夫人的稱號。

他比呂不韋更進一步，呂不韋是在女人身上找快樂，追求美的感受；他完全是爲了發洩男人的情慾。無論是在書房批閱奏簡文書，或是興奮不能入睡時，感到需要了，就要近侍找某個姬妾來，辦完事，發洩了，即要近侍送走，從未讓女人留過一個時辰以上。自從輪值表排定以後，他就按表找人。

歷史上的周幽王寵愛褒姒，以致燃烽火，戲諸侯，博其一笑；商紂夏桀爲了女人不早朝，在他都像是上古神話，哪有這樣沒出息的君王！

但他也不是完全輕視女人，他本身明白，當你愛——眞正的愛——一個女人時，女人對你就有著致命的吸引力。

他不立后只有一個原因，他要將這個宮中最尊貴的位置留給一個他眞愛的女人——他的玉姊。

看到他這副想得出神的樣子，太后輕擊席案喊：

「嬴政，你想到哪裡去了？」

「哦，母后，有些政事兒子放不下心。」他紅著臉說謊。

「你是在下逐客令了？」太后臉上出現不悅。

「兒子怎麼敢！」秦王政連忙陪罪。

「不管，限你這兩個月就將人選好，是不是蘇夫人我不管，過年後就舉行大婚！」

「娘！」秦王政帶點哀求的語氣喊。

「我不管，後宮無后，全國無母，後宮的事有時還找到我。娘老了，不勝其煩，要是孝順娘的話，就趕快立后，讓娘清靜。」

「兒臣遵命！」秦王政無奈的答應。

但在送太后走後，他再一想，這何嘗不是個向玉姊開口的好藉口。

他回到寢宮，興奮很久不能入睡，但不是需要女人的那種興奮。

3

不知為什麼，每逢他走近上苑的機織房時，他的心跳就會加快，踏上那條灌木叢中的小青石板路，鼻聞周圍花圃傳來的陣陣花香，耳聽急促的機杼聲，他心中就會充滿一種溫馨沉醉的感覺，忘掉政事的繁忙和一切不快。

每次來，他都是要座車停在上苑的月門前，他摒除所有隨從，單獨進入月門，緩慢的走在這條小路上，以延長這種享受。

一幢廣大平屋，裡面放著百餘部織布機和紡紗機。織布機的穿梭聲，紡紗機的啞啞聲，匯成一股嘈雜的洪流，到近處震耳欲聾，在他聽來卻是絕妙的人間仙樂。

每次他來，大部份的時間都不會驚動玉姊，他只站在能望到裡面全景的那扇大窗口看著。看到這些埋首機中的眾多宮女，以及忙著來回搬運布紗的可愛女孩，他的眼前就會出現一幅男耕女織的太平景象。

秦國人有句俗諺：「老婆孩子熱炕頭，再加壯牛好梭頭（織布機）。」這就是百姓最大的夢想。

他日夜煩忙，不也就是爲了要實現秦國人民這個最大也是最低限度的夢想，然後推廣到天下？

有時候，偶然經過窗口的女孩中會有人發現到他，她們震驚失措，想去稟告她們的嬴大家，他都會示意不要，禁止她們發聲。

他想看到的是在織布機間忙碌來往的玉姊，她像梭頭一樣穿梭在眾多女孩間，臉上始終帶著微笑，不怕麻煩的教導她們，修正她們的錯誤，爲她們解說遭到的困難，幫她們修理機器簡單的故障。

經過這多年的勞累生活，她的體態仍然如此輕盈，清秀脫俗的臉依然發出悅人的光輝，如此經得起歲月的折磨，他常常懷疑，她是否不食人間煙火的仙女？

他也常召她進宮垂詢，表面上是要詢問慰勞她，實際上只是想見見她。不過，他不喜歡看到她在眾人環視中恭敬答話的那種樣子，他喜歡看到的是在這裡的玉姊，美麗、飄逸，比圖刻上的仙女更像仙女！

今天不能不見她了，他在猶豫，等下如何向她開口求婚。身爲君王，出口就是不可違抗的命令，以往他看中了哪個女孩，無論是民間選來或是宮中原有的，只要告訴近侍今晚送到寢宮，女孩就會高興激動得流淚。要是告訴她要立她爲后，任何女孩都會跪伏在地上謝恩，感激得話都說不出，連帶家族都會謝天祭祖，感謝上天的恩賜和祖宗的保佑。

但對玉姊他不願如此，不願用王命去壓迫她，他需要的是一個他愛而對方也爲愛而嫁他的女人。

男耕女織，也許只有平凡民家，才顯得出男歡女愛的眞感情。

他在窗口喚住一名經過的女孩，她在燈光的餘光下認出是他，驚嚇得就像見到鬼一樣，在他來不及示意前，她轉頭大聲喊著：

「大王駕到！」

屋中的機織紡紗聲頃刻之間停止，代之的是一片雜亂驚惶聲，整個屋子的女孩都跪伏在地上。

嬴玉聞聲趕出，也帶頭跪伏在地，口中喊著：

「不知大王駕到，臣妾有失遠迎！」

這句話他每天不知重複要聽多少遍，但聽自嬴玉的口中，卻覺得帶點諷刺意味。

「起來，」他雙手扶起她：「跟著寡……我來！」平時說得非常順口的「寡人」，今晚也似乎難以出口而改用「我」。

他帶頭向那條小路上走，她進入屋內交代繼續開工後，急步從後面趕上。

他在一處花圃前面等著她，等到她走近身邊時，他輕柔地握住她的手。她微微的掙扎了一下，隨即也緊握他的，雖然夜風仍寒，但一股溫暖由兩人握手的交集點傳到兩人的內心。

「妳是否還記得邯鄲攜手共遊的那段日子？」秦王政感嘆的說：「兩小無猜，無憂無慮！」

「大王……」

「不要喊我大王，」秦王政制止她說：「大王會驚醒我的邯鄲夢。還是喊我嬴政或其他任何什麼。」

「陛下——那我就這樣稱呼吧。」她笑了笑說：「人不能活在夢幻裡，總得面對生活中的現實。」

「沒有夢又怎麼顯得出現實呢？」秦王喜辯的本性只有在老人和她面前才會顯露，對別人他只想下命令：「沒有過去和未來的夢，現在又有什麼依託呢？」

「記得邯鄲攜手同遊吧？」他堅持要她回答這問題。

「當然記得。」她也用同樣夢囈似的口吻回答。

「還記得第一次在上林外重逢的情景？」

「很難忘懷，你想，分別時還是個孩子，再見到已是個英俊少年！這種驚喜的感覺，你說怎麼能輕易忘記！」

「那妳應該記得妳那時說過的一句話。」秦王政想逐漸進入正題。

「哪句話？我們那天說了很多話。」她認真的思索起來。

「不記得了？」秦王政握緊一點她的手，似乎在幫助她回憶。

「我想起那天所說的很多話，但不知道你指的是哪一句？」她沉吟著，握在他手中的手突然顫抖了一下：「你是指那句話！」

「想起來了？」他的語氣中充滿期待。

「想起來了，但是我不說。」她撒賴時的嬌憨一如邯鄲的那個小女孩：「要你說！」

「要我說，我就說，怕什麼？」他也恢復了那個邯鄲小子的豪氣。
「那就說啊，看看是否和我所想的一樣？」她輕笑起來。
他們不再是大王和臣妾，而又再度變成了邯鄲那對小兒女。
「你那天說，早知道我這樣喜歡妳，妳就會嫁給我了！」
「我沒說這句話！」她急急抵賴，但接著在月光下現出的朦朧微笑，使他明白，他們所想到的是同一句話。
「現在讓我們回到生活現實。」秦王政裝得一本正經的說。
「那就是說要我喊你大王？」她捉狹的問。
「不，不是那個意思。」下面的話，他又不知道該怎麼講。
不過他想到，開門見山，單刀直入，這種手法讓他輕易解決了很多政事上的難題，不妨也用在這裡試一試。
「太后逼我在明年初立后。」他試探的說。
「大王，臣妾先恭喜你了。」她誠懇的說。
「但我還找不到王后的人選。」
「你夫人姬妾那麼多，隨便立一個。」她半開玩笑的說。

「這不能隨便，」他說：「我想徵求妳的意見。」

「今晚你來此就是爲了這個？」她語氣中帶點失望。

「正是，我要妳當我的王后！」

「你這是命令？」她一時震驚得不知自己說了什麼。

「不是命令……」

她用另一隻手捂住他的嘴：

「聽我說，王后要冰清玉潔，母儀全國，我已是敗柳孀居之身……」

他也用另一隻手捂住她的嘴，口中模糊而蠻橫的喊著：

「我要你當我的王后！」

這是他們兒時在邯鄲常玩的遊戲，一個捂嘴，一個掙扎著說話。

「唉！」她嘆了一口氣，同時鬆掉兩隻手：「你這是王命？」

「不，這是匹夫匹婦之間的求婚。」他跪下去抱住她的雙腿：「答應我，做我的王后！」

「不嫌棄我殘花敗柳之身？」她趕快扶他起來。

「不會！」他堅決的說。

「准許我在內心保留一席之地？」

「什麼？」他渾身一震。

「作供奉我先夫神主之用。」她又嘆了一口氣：「我知道你做不到！」

「不，我絕對做得到，我只有感動，妳對死人都這麼好，對活人一定更好！」秦王政心裡想的卻是嬴得之死。

但她不知道他此刻在想什麼，她也感動得投入他的懷抱，緊緊的擁住他。

月光下她的臉滿佈著眼淚。

4

由這次立后的大婚，秦王政自己發現到，他的性格中混合著生父呂不韋的誇誕和好大喜功，以及母親奢侈浮華的缺點，他平日的勤勞節儉只是中隱老人在他幼年時培養出來的。

他決定這次婚禮必須是秦國有史以來最盛大的一次。

在徵得太后的許可後，他立即向各國發出喜柬，意思是要他們提早準備。他預計燕齊楚韓四國，目前邦交不惡，國君親自來的機會很大，趙魏猶處於對立狀態，但他們想議和，爲了安撫，至少也會派太子或得寵公子代表參加。

後來事實證明，他的估計沒錯，這四國君王都親自率領龐大的賀喜團來了，趙魏則派丞相跟隨太子。尤其是燕王姬喜使他感激，他一接到請柬即出發，整整早到十天。

他不但自己來，而且還帶著太子丹來，他向秦王政提到他和莊襄王生前的交情，談起在邯鄲的點滴瑣事和莊襄王在燕國作客的趣事，他希望秦王政和太子丹能保持這段美好的兩代感情。

因此，他臨走留下太子丹作爲兩國友好的質子，而帶走一位秦國質子。

這些國君和代表國爲了顯示國力，送的都是典藏級的國寶，秦王政下令將各國所送的禮物放在朝殿展示，並開放朝殿一個月供百姓參觀。

這些禮物包括奇珍異寶，明珠古玉，也有各國的戰爭利器，如楚國金鞘鑲珠的寶劍、韓國可射八百步的強弩、齊國挖地道行坑道戰的全套工具、魏國新發明的投石機和改良雲梯。

趙國的附加禮物很特別，乃是一班八八六十四名的女樂，趙國出美女，天下聞名，這班女樂更是經過精挑細選，不但個子一樣高，而且身材纖肥，五官長相都幾乎同樣。這班女樂的歌舞、器樂全都精彩絕倫，婚禮上的表演就是由她們擔任，看得各國君主和貴賓個個如痴如醉，幾乎忘掉自己的身份。

秦王政爲了表示與民同樂，這班女樂還公開在外宮偏殿表演一個月，適逢過年休息，每天民衆都將偏殿擠得水泄不通。

敲缶擊甕，彈箏搏髀（大腿後側）而歌呼嗚嗚的秦國人，這次是大開了眼界，才知道人間還有如此仙樂和絕色美女。

秦王政明白趙王送女樂的用意，是想他作通宵歡宴，君臣早朝都爬不起來。他並沒上這個當，而是在婚禮狂歡過後，要這些女孩洗盡鉛華，投入了織布紡紗的行列。

燕王喜帶來的特別禮物是一隊一百二十名騎兵各帶一匹備馬。二百四十匹的白馬，從頭到尾沒有一根雜毛，乃是自冀北產馬地千萬馬群中精選出來的，匹匹骨骼均勻，前肢細長，胸部寬厚，耳尖如竹葉，一看就知是上好駿騎。騎卒更不用說了，個個都是遼東大漢，身高都在九尺以上，每人都是虎背熊腰，凜若天神。所用的武器是燕國新改良的馬刀，刀身沉厚，能抗拒長兵器，但運用靈活，翻轉若飛，適於騎兵衝鋒之用，不過，這要有相當膂力的人才能得心應手。

秦王政將這隊騎兵編入虎賁軍儀隊。

他心裡明白，各國送國寶級禮物是在誇富，送兵器戰具乃是展示他們的戰力，意在嚇阻。他也帶著各國君王和貴賓校閱了虎賁軍，這些君王和貴賓多半是首次如此近觀秦國部隊，禮貌上雖然讚不絕口，內心卻在納悶，爲什麼他們裝備精良、數量也多的軍隊，遇到軍容不怎樣而且武器落後的秦軍，卻會像群羊見猛虎，望風而逃。

秦王政將各國鋒利兵器用來和自己的武器比較，也是暗暗心驚，別國刀劍有的已進步到精鋼地步，而秦國軍隊有的武器還是銅製的。

他不免恨呂不韋誤國，在重商的主導下，由外國引進的冶鐵、木工、製革和其他技術，全用在商品製造和達官巨富的宅室裝飾及其他享受上，軍隊的兵器和裝備改進不多。

在國內，秦王政爲這次立后頒發大赦，涉及嫪毐及呂不韋案貶蜀者，全部赦回，遷房陵者亦可自由定居。

刑事犯除殺人、貪污及強盜犯以外，全減刑一半，輕犯立即釋放。

已有戰功者均進爵一級，無戰功男子每人賜酒一罈，女子賞布一疋。

婚禮在正月二日舉行，適逢各官衙封印休假，農民息耕農閑之時，全國主動將秦王生日、婚禮和過年加在一起過，家家戶戶張燈結綵，大擺宴席，殺豬宰羊，歡宴賓客，整整鬧到正月十五，眞的是一人有慶，萬民同歡。

咸陽甘泉宮的寢宮翻修粉刷一新，秦王政還別出心裁，將七座內寢佈置成七國內宮特色，除了秦室外，還有趙、魏、齊、楚、韓、燕各室，各以歷次戰爭在各國擄掠來的珠寶金玉器具，加上這次各國送的禮物，佈置陳列其中。

七室中的女官宮女全由該國女子擔任，菜餚服飾皆同該國，秦王及王后輪流在七室內寢宿，等於周遊了七國寢宮一次。

當然，在堆積如山的各國奇珍異寶禮物和民衆主動獻貢的土產中，最使秦王政及王后感動的是太后的禮物。

她整整花了兩個月的時間，親自督導御裁爲秦王夫婦裁製結婚禮服，並且親手爲他們繡製了一幅文王百子圖，當然是祝他們多生兒子。

婚禮當天進行得非常順利，白天在太史和奉常的前導以及群臣擁戴下，秦王及王后祭天祀地，告廟祭祖。晚上舉行婚禮後，分殿大宴各國君王及貴賓，然後接受群臣朝賀，分別賜宴群臣。接著是各國國君帶來的歌舞伎獻藝，以及秦國地方首長獻上秦地特產——戰技舞。

婚禮順利，賓主盡歡，問題出在洞房裡。

5

秦王政新婚夫婦首夜輪宿在秦室內寢。

他們已脫去笨重的高冠長袍禮服，換上輕便的家居服，在紅燭光搖曳下，半醉的秦王政凝視著年過卅依然俏麗的王后，不知該從哪裏開始。

她頭梳馬鞍髻，身穿龍鳳彩紋大袖細腰紅色錦袍，白皙的頸子圍在露鋒的白狐皮毛翻領裡，坐在床邊，在燭光下顯得特別誘人。

「玉姊，累了一天，該休息了。」他溫柔的挨近她。

但她轉臉過來，眼神卻充滿哀怨和恨意。

「妳怎麼啦？」秦王政驚問。

「……」

「我什麼時候得罪你了？」秦王政想抱她，她卻閃到一邊去了。

「有什麼話好說，給我這種悶葫蘆我受不了！」秦王政心中也浮起不快。

他想到這是新婚第一夜，要是吵架傳出去，眞是會笑壞各國君臣。他只得涎著臉陪笑：

「玉姊，早點安息，明天還有很多的事要做。」

他想拉她的手，卻發現她藏在大袖裡的右手握著一把匕首，他拉出她的手，就看到匕首冷光襲人。他驚得酒意全消，但他仍然不相信她對他有惡意，突然間他想起了嬴得，他的背脊開始發涼。

本能反應他想召人進來，但立即制止住自己，他解開袍內衣襟，露出堅實的胸膛說：

「不管什麼理由，妳想殺我就來吧！」

王后仍然執著匕首，冷冷的說：

「我不會殺你，而是用來自殺的。」

「為什麼？總得告訴我一個原因。」秦王政懇求，他心中還抱著萬一的希望，她只是為了某件事跟他嘔氣，而不是為了嬴得。

他這個萬一的希望很快粉碎。

她從另一隻袖口掏出一塊黑色絹布來，上面的血污點點，因時日長久，早已發黑發乾，但仍然有股腥味衝鼻。

當然他認得出是嬴得的蒙面巾，那天他順手帶回，順手不知藏在哪裡，連自己都忘記了。

「妳在哪裡找到這個？」他冷靜的問。

秦王政有一個自己都不知道的性格上最大的優點，別看他平時暴躁易怒，但遇到越危急的事他越頭腦清醒。

「南書房書櫃裡發現的。」王后仍然臉色冷峻。

「唉！」秦王政長長嘆了一口氣。

本來他的南書房除了召見心腹大臣及趙高，別人是不准踏進一步的，宮女近侍要打掃，全都得有趙高在一旁監視，因為裡面的國家機密太多。

想不到婚禮前的這段時間，他想常見到她，而要她在他批閱奏簡文書時陪他；為了表示她的愛意，她也常主動爲他整理清掃。這在他是莫大的享受，他有做民間丈夫的感覺，民間妻子爲丈夫服務是爲了愛，而不是迫於權勢和職責，她願爲他做女官都不屑於做的事，他心中有說不出的感激。

誰知道鬼使神差，反而使她有機會發現這塊蒙面巾。不過這樣也好，讓他有機會向她說明，免得終身內疚，尤其今後要和她常在一起。

「你好狠心，殺其夫奪其妻！」王后恨恨的說。

「你能不能先放下匕首，慢慢的聽我說。」秦王政勉強帶笑。

「不能！」王后語氣堅決。

「好，我告訴妳！」他無奈的說。

他將上林的那次事件細細從頭說起。她的臉色逐漸緩和，緊執著匕首的手也漸漸放鬆，最後匕首跌落在地，發出「鏗」的一聲，嫵媚的大眼睛裡，眼淚像泉水一樣湧出來。

他輕擁住她，用衣袖爲她拭擦著眼淚，可是越擦越多，連他也不覺內心悽然。

很久很久，她才長嘆一聲，哽塞的說：

「都怪我不好！嬴政，我不該跟他提你的事。」

「怪我，」秦王政搶著說：「我不該爲自己的心靈享受，打擾你們家庭。」

「本來嘛，」她自己取出手絹擦乾了臉上的淚痕：「你後宮佳麗三千，何必獨獨鍾情於我！」

「唉，很難形容出那份感覺。」秦王政長嘆一口氣說：「我總覺得有一個眞心關懷我的人，比再多再美的佳麗都好。」

「爲什麼你不公開你的身份，名正言順的召我進宮任職，你可以常見到我，也不會發生這場慘劇。」她有點遺憾的問。

「整天大王寡人的，我還有什麼溫馨可言？我怎麼知道妳是不是和宮中其他女官一樣，對我好只是迫於我的權勢？」秦王政搖搖頭說：「誰知道一念之私，弄出這大的悲劇！」

「假若不發生這件事，你會永遠那樣繼續偷偷去看我？」她眼中出現了夢幻。

「當然！」他雙手握住她的手，突然語氣一轉：「相信我？」

「我從來都沒懷疑過你對我說的話，想不到你那次會對我說那樣大的謊。」

「我從頭到尾都在騙妳。」秦王政無限慚愧的說：「從邯鄲就開始了，妳還相信我？」

「那不是欺騙，只是沒說清楚。」她寬容的說：「再說，我自己也沒問你。」

「這樣說妳是完全原諒我了？」他感動的說。

「沒有什麼原諒不原諒，事情的起因是我一時疏忽，只認爲人人都和我們一樣純潔和坦蕩，不能怪你。」

「時候不早，我們早點休息吧。」他上前要為她解衣。

她一手推拒，一手連搖：

「嬴政，聽我說，我願意做你的王后，為你管理後宮一切，願意做你的妻子，為你料理身邊所有瑣事，但是我不願做你的女人，和你做那件事。」

「哪有這種分開算法的？既然做我的王后，就得做我的妻子和我的女人。」

「你錯了，這三者的確是可以分開的，王后只是盡公事方面的責任，做妻子則只要關切你，照顧你的生活起居，眞心眞意的愛你，做女人只要能給你暫時歡娛和肉體官能上的享受就可以了。你的女人多得很，只是缺少為你管理後宮、母儀天下的王后，以及一個眞心關懷愛你的妻子，三樣我做到兩樣，你還嫌不夠嗎？」她笑著問他。

「為什麼你要這樣做？」秦王政氣鼓鼓的說：「這樣對我太不公平，王后不像其他的姬妾，她應該同時負起這三種責任。」

「嬴政，」她苦笑著說：「是你逼我說的，你聽了不要生氣。第一，我對床笫之間的事沒有興趣，只感到骯髒和痛苦。第二，嬴得的陰影不去，和你做那件事我會有罪惡感。我們一直是純潔的，我們之間的愛超乎姊弟，也超過夫妻之上，所以你以君王之尊，從不逼我做什麼，嬴得不明白這點，才會做出偷襲的蠢事，我要證明給他看！」

「嬴得已經死了。」嬴政無奈的說。

「我總感覺到他在窺伺著我。」她愁苦的說：「嬴政，等著要你去做的事太多，治理國事，平定天下，樣樣都要你費神，不要爲我耿耿於懷。」

「得不到自己心愛的人，就算得到天下又有什麼意思？」秦王政眞的沮喪極了。

「你已經得到我整個人和心，何必計較每個女人都能給你的床笫之歡？」她微笑著說：「這樣好了，我們將次序顚倒一下，你先得到天下，那時嬴得的陰影也許已消失，讓我眞心全意的獻給你！」

「那要等到什麼時候？」秦王政賭氣的說：「也許我已戰死……」

「不准說這樣不吉利的話，」她迅速蒙上他的嘴：「好吧，也許你可以用王的身份命令王后盡這方面的責任！」

「我不要，我要妳自己喜歡做！」秦王政嘟著嘴，像個八歲的孩子。

她也像在邯鄲的那個小姊姊一樣，拍拍他的臉頰：

「那就乖，要侍女來準備另一張床。」

6

「眞是個奇女子，人也絕頂聰明。」聽完了秦王政的訴苦，中隱老人讚不絕口。

這是他忙完婚禮，將賦歸的國君和貴賓送走以後，第一次來見老人。他沒有參加他的大婚典禮，雖然他一再派人和親自來懇求他。

老人正在修練辟穀之術，人顯得清瘦很多，看起來也的確是一副仙風道骨的樣子。其實，在秦王政的心目中，他不只是仙，而是神，是他自己良心的準衡。每逢內心神人交戰、相持不下的時候，老人就能發揮最後一根稻草的作用，一言釋疑，使他對再疑難的問題立即豁然而通。

「這個女人眞是聰明！」老人還在讚嘆：「她明白女人像山水，男人像尋幽客的道理！」

「老爹的意思是？」秦王政不解的看著老人哂笑的臉。

「一目瞭然，山川美景全收眼底，尋幽客會倦遊思歸；只有山窮水盡，卻有一線曲徑通幽，才會激發尋幽客的好奇和好勝心。」

「老爹是說她很厲害？」秦王政有所怨恨而發。

「不，聰明和厲害表面上相似，實質上卻完全不同。」

「老爹，願聞其詳。」

「她懂得男女在一起，未作肉體交接以前是日久生情，而在肉體交接以後，則是日久生厭，所以才會發生喜新厭舊，夫妻反目的事。但她也明白，要是完全讓你在這方面絕望，會傷到你的自尊，你也會掉頭而去，所以她給你一點希望，這是她聰明之處。」

「老爹為什麼不說她厲害呢？」他有點不服。

「她是為了保護自己。」老人笑著說：「她是三十歲的女人了，不管天生國色，資賦再好，脫去衣服都不能和十六、七歲的少女媲美。而你戀她的是邯鄲那股溫馨回憶，對她要的是母姊兼情人的那種體貼和照顧，她只要永遠扮演這個角色，長久讓你只要在她身邊，就會生活在邯鄲那段甜美的回憶裡，你就會終身都戀著她。她這是孫臏賽馬，以上駟對下駟的戰法，假若她以胴體和眾姬妾爭寵，豈不變成她以下駟對那些年輕貌美姬妾的上駟！」

「為什麼不說她厲害呢？」秦王政堅持問。

「為了保護自己輕而傷害別人重，才叫厲害，」老人笑嘻嘻的解釋：「她完全沒傷害到別人，而且對你還有鼓勵作用，這是聰明不是厲害。」

「但她傷了我的自尊和自信，」秦王政指指心口說：「一個女人都征服不了，還談什麼征服天下！」

「她不是說要你將次序顛倒過來嗎?你就先征服天下給她看!」老人正色的說。

「根據在各國間諜報告的情勢,趙王遷新立,其母原爲倡女,後爲趙悼襄王姬,非常得寵,以致悼襄王廢嫡子嘉而立遷。趙王遷爲公子時就品行不好,爲王後更是胡作非爲,朝野臣民都極其怨恨,所以嬴政認爲正是攻趙良機。」秦王意氣風發,侃侃而論。

老人一直注視著他,等他的話告一段落後,突然以命令的口吻說:

「背孫武兵法〈首計篇〉給我聽!」

「是。」秦王政恭敬的回答,不知不覺按照兒時背書的習慣長跪起來。

> 孫子曰:兵者,國之大事,死生之地,存亡之道,不可不察也。故經之以五校之計,而索其情:一曰道,二曰天,三曰地,四曰將,五曰法。道者,令民與上同意,故可與之死,可與之生,而民不畏危;天者,陰陽寒暑時制也;地者,遠近陽易廣狹死生也;將者,智信仁勇嚴也;法者,曲制官道主用也。凡此五者,將莫不聞,知之者勝,不知者不勝……

「夠了,」老人輕聲說,但隨即又大聲問:「天、地、法,秦國都較各國佔上風,但你可曾校之以道？秦國人民是否與你同意，而樂意和你共生死？」

「嬴政不敢說完全知道。」秦王政惶恐的說。

「那先親自去探探民情，不能只聽大臣們的阿諛。」

「是。」

「還有將，秦國誰能爲大將？」

「桓齮和王翦。」秦王政回答：「兩人去年攻鄴地，表現很好。尤其是王翦，初次出征，行軍佈陣的熟練和奇兵運用之妙，連身經百戰的桓齮都自嘆不如。」

「桓齮已老，再勇也勇不到多久，未來想平定天下，單靠王翦一柱撐天是不夠的，再說秦自白起自裁後，有大將之風的絕無僅有。其實，千里駒常有，識馬的高手不多，能馴馬練馬的人更少，將才要挑選培植，不能全看作戰勝負，因爲有時候戰爭的事還眞要靠點運氣。」

「是。」秦王政還想問別的事。

老人卻說道：

「人生得一紅顏知己，已是死而無憾，何況她既願做你王后做你妻子，更何況你不像民間一夫一妻，少了妻子，這方面的事就做不成。痴兒，多將時間放在國事上，你一發動戰爭，是否能收就不完全在你自己了，將來會夠你忙的。」老人想了想又補一句：「注意趙國的李牧！」

老人閉上眼睛，秦王政告辭。

7

秦王政一回宮就命趙高蒐集李牧的詳細資料。

次日一早，他偕同蒙武改裝成富家子弟模樣，爲了防止上林事件的重演，還帶了兩名扮成家人的力士護衛。

他們優遊市集，在茶館酒樓用茶用飯，找人閑談。但轉了一個上午，只要秦王政一問到國事，對方就以警覺的眼光看著他們，不是三緘其口，不再說話，就是索性掉頭而去。四個人整整忙了一天，沒有一點收穫。

回到宮中南書房，秦王政嘆口氣說：

「李斯和趙高的情報法治工作也許做得太過火了，百姓都不敢說話。孔丘說得不錯，苛政猛於虎，難道寡人在他們心目中比老虎還可怕？」

「陛下，這也不能全怪李斯和趙高，」蒙武謹慎的回答：「自商君變法以來，妄論國事者謂之亂化，不管所言對否，全遷之邊城，秦人已養成在公眾場合愼言的習慣。何況今天我們君臣四人服裝特殊，兩名力士深睛虬髯，一看就知道是胡人，當然別人不肯說話了。」

「原來如此，你爲什麼不早說？」秦王政哈哈大笑。

「陛下有何好笑事情，笑得如何開心？」王后親自端茶上來，先放了一杯在秦王政前面，然後又端給蒙武。

蒙武連忙俯伏雙手跪接，口中說道：

「微臣怎敢冒瀆王后親自賜茶。」

秦王政在一旁笑著說：

「王后和寡人有一個約定，進南書房的大臣都是我們夫婦的貴賓，在這裡我們要過點民間匹夫匹婦的家居生活，不再是什麼君王和王后。」

蒙武驚奇又欽佩的看了王后一眼，王后大方的向他點頭微笑。

「王后，妳也坐下吧。」秦王政溫柔親切的說：「聽聽我們在外邊遇到的一些趣事。」

王后在一側席案前坐下，深情的看著秦王政說：

「眞希望哪天我們能同遊咸陽，就像在邯鄲一樣。」

她的這句話就像符咒，秦王政眼中立即出現了夢幻的嚮往。

蒙武當然聽得一頭霧水，這是他們夫妻間的秘密。

王后坐好以後，侍女端上茶來，她輕啜了一口，又微笑著問：

「你們剛才有什麼事好笑的？」

秦王政大致說了一遍。

「其實今天你們已經有了很大的收穫。」王后鄭重的說。

蒙武和秦王驚詫的看著她。

「恕臣妾直言。」王后轉向秦王政說：「陛下不是因而知道苛政猛於虎，在百姓的心目中，大王比老虎更可怕嗎？」

蒙武嚇得臉色蒼白，深怕王后的直言會引起秦王政的暴怒，他的喜怒無常乃是群臣所深懼的。

眞所謂一物降一物，秦王政不但不生氣，反而若有所思的點頭說道：

「經王后這麼說，我才明白今天的收穫實在不小，不過寡人總想聽聽百姓對我的看法。」

「臣有一辦法！」蒙武說。

「快說！」秦王政催促。

「人在喜極氣極、失去理智的時候才會吐眞言，還有就是喝酒五分，天不怕地不怕，豪氣干雲的時候也敢吐肺腑之言。明天不如大王只帶臣一人，換件市井人物常穿的衣服，混在這些人中間喝酒，等他們酒醉，臣再以話題逗引他們發言，就不怕聽不到眞心話了。」

「此計甚好！」秦王政拍案說，接著轉臉問王后：「妳看怎麼樣？」

「臣妾早跟陛下約定，爲陛下管理後宮及照顧陛下生活起居，外界政事一概不過問。」王后搖頭不願置評。

「怎麼這樣說！」秦王政發急：「這又不是什麼軍國大事，何況妳剛才就已插口了。」

「王后也賜點看法吧。」蒙武在一旁勸解。

「好，我說，聽不聽得進去是你們的事了。」王后微笑著說：「其實市井人要發哪些牢騷，不用聽也知道。商人一定會罵稅捐太重，生意難做，土地和重要原料全爲國家掌握，再不像呂不韋相國時代可以壟斷操縱，因此再也不容易發大財。至於那些遊俠無賴一定怨恨法律太嚴，逼使他們的活動空間越來越小，不像燕趙等地的同行那樣如魚得水，如鳶飛在天的自由自在。」

「王后的話雖然不錯，但在市井之中，人們茶餘飯後酒酣耳熱以後，多少我們可以聽到一點基層民衆的心聲，這就是歷代賢王專設採風之官，到各國蒐集歌謠傳說的原因。」蒙武在一旁說。

「你們都錯了，這些放言高論的人都不是眞正的秦國基層。秦國眞正的力量是在那些農民和工匠，平時他們默默耕種或製造，提供全國所需的糧食和生活必需品，戰時服役從軍，拿起武器拼殺，年紀大的，不能上戰場殺敵，還要在後方從事各種勞役，這些人都是不說話的，可是他們佔全秦人口的百之九十以上。所有君主能聽到的聲音，不是士大夫的今古制度之爭，就是怨嘆個人的懷才不遇，再不然就是大臣營黨結派，攻訐對方。眞正出錢流血的基層百姓是沒有聲音的，要有的話也只是抱怨上天，今年的風不調雨不順，或者是戰爭留下的孤兒寡婦哭父、哭夫、哭子的聲音！」王后的聲音越來越激動，最後眼睛裡閃出淚光。

秦王政和蒙武面面相覷，不知該如何接下去。許久，秦王才以打圓場的口吻對蒙武說：

「那明天我們去農村走走。」

「是，遵命！」蒙武恭身說。

8

他們打扮成專在農村地區售賣日用品的小貨郎，青衣短裝，頭戴毛氈小圓帽，腳穿翹頭長靴。雖然秦王政氣度軒昂，舉止之間掩蓋不住他的王者之風；蒙武俊秀灑脫，怎麼看都不像在風塵中打滾的行商，但藉著這種身份，卻很容易的接近了這些樸實的農民。

爲了怕露出馬脚，他們只騎了兩匹駑馬，沒帶任何從人。怕自己根本不懂小貨郎如何賣貨，引起別人的懷疑，他們沒帶任何貨物，只託言貨已賣完，他們是趕回咸陽城去。他們藉口馬要喝水，或是人肚子餓了，問村夫農婦要水買食，乘機進入民家，和這些憨厚的男女老幼閑聊。

他們發現，果然正如王后所說，這些農民對國事一無所知，而且也不想知，他們奉行著千千萬萬年來的農家信條，日出而作，日入而息，努力耕耘，就有收成。年成好，足以仰食父母，俯蓄妻兒，他們就謝天謝神，感謝祖宗保佑。天時不好，糧食歉收，他們只有自己收緊褲帶，忍飢受凍，卻得將該繳的田賦充公，或是將大部份僅有的收成交給地主。他們很少怨言，繳賦交租是應該的，天時不好是他們做錯事得罪了天、神，或者是祖先，所以不下雨或是漲洪水來懲罰他們。

他們很多人甚至不知道嬴政這個名字，更別說是王綰、蒙武和李斯了，他們只認識縣裡的衙役和鄉裡的亭尉，因爲衙役來了，表示該交田賦了，交不出家裡就會有人被抓去關，抓去挨鞭子；亭尉帶著亭丁敲鑼召集他們講話，就表示要打仗了，他們的年輕男子要去當兵，又得多繳一份戰時田賦。

最後秦王政和蒙武在黃昏的歸途中，進入一家大約有七、八百戶人家的大村莊，看來這處莊子還算是富裕的。

田裡的麥子已黃，隨著晚風興起層層麥浪，暮靄中，田野到處是牧童趕著牛羊的吆喝聲，對照著天邊的晚霞，好一幅美麗的原野畫。

村口大批的兒童在嬉戲，夾雜著母親的喚兒回家聲，村子周圍有著各種花樹，枝葉茂密，傳來陣陣花香，村裡除了大多數的茅頂泥牆房屋外，也點綴了不少磚牆瓦頂大宅。

「陛下，天色不早，該回宮了。」蒙武啓奏。

秦王政正專心看著一堆兒童在玩騎馬打仗的遊戲，雖然遊戲是假的，孩子們卻玩得非常認眞，直到雙方眞的動手動脚打了起來，哭鬧喊叫亂成一團。

「怎麼眞打起來了！」騎在馬背上的蒙武感到好笑。

「秦人喜鬥好勇，連孩子都如此，但這就是寡人征服天下的本錢。」秦王政在馬上自言自語，完全沒理會蒙武在說些什麼。

直等到喊這些孩子吃晚飯的家長衝入戰團，這些孩子才作鳥獸散，跑不掉的各被各的家長拉著耳朵，扭著手臂，邊罵邊打的拖回家。

秦王政和蒙武都看得笑了。

可是進得村莊卻發現氣氛不對，全莊都籠罩在愁雲慘霧之下。

幾乎家家戶戶都貼著白色素絹，上寫「祭奠」兩個大字，門口的香案上擺著鮮花時果，還有殺好去毛的雞鴨和豬頭，兩旁點燃著香燭。

門裡傳出哭泣聲，有的是細語輕泣，有的嚎啕哭訴。

「這是怎麼回事？」秦王政忍不住問：「難道這個村莊發生瘟疫，不然怎麼家家戶戶都有死人？」

「待臣進去看看。」蒙武說。

兩人翻身下馬，找到一家圍有竹籬笆的茅屋，看見一位六十歲左右的老者帶著兩個男孩，正將祭奠完畢的香案搬回屋內。

蒙武向前施禮說道：

「老丈，我們兩人爲行貨小郎，售貨完畢，想轉回咸陽，現在人馬都飢渴了，是否能賣點吃的給我們。」

老人打量了兩人一眼，很客氣的說：

「在鄉下，糧食果菜都是自己種的，也不知道怎麼個賣法，兩位湊巧今晚來到，遠來就是客，不嫌棄的話，請進來一起用飯。」

秦王政和蒙武也就不再推辭，道謝一聲跟著老人進屋。老人轉身要那個半大小子料理兩個人的馬去了。

屋內有一個中年婦人紅著眼睛在擺飯桌，看樣子是剛才哭過，另外在堂屋的裡間，還隱隱約約的聽到哭聲。

老人招待兩人坐下用飯，飯罷，秦王政忍不住問道：

「貴莊今天幾乎家家戶戶都在辦祭悼，難道發生了什麼不幸事情？」

老人嘆了口氣，懷疑的望著秦王政說：

「小哥不是秦地人？」

原來秦地人一向好客，但自從商鞅變法後，鼓勵民間互相監視檢舉，匿奸者與作奸犯科者同罪，城市人家早就不願接待陌生人，不過這種顧忌還沒流傳到淳樸的鄉間。

「小的是咸陽人，自小在趙地長大。」秦王政知道自己是一口邯鄲口音，只有如此說。

「難怪小哥不知道了，秦國連連與各國打仗，每年都要死不少人，尤其是二十多年前與趙國的長平之戰，秦國十五歲以上精壯差不多死傷了一半。要是按照每家死者的忌日祭奠，村子裡幾百戶人家，死者上千，那天天都會有哭聲，於是公議出一個辦法，規定在每年今天一起祭奠，免得天天有女人哭，眞是煩死人了。」

秦王政聽得心頭一震，這樣一個小村莊，歷來就戰死了上千人，那秦國全國應該有多少？

「這是指長平戰役以來所戰死的人？」蒙武問老人。

「當然，要是自孝公建國擴疆，那就數也數不清了。」老人陷入回憶說：「老朽也參加過長平之戰，那次戰爭的確慘烈，本來秦律規定父子同在軍中者，父可解役回歸，但當時我正擔任村長，徵召的人數籌不足，雖然我已四十多歲，我還是帶著村裡的備卒去了。我和長子同時參加了長平之戰。」

「老人家有幾位公子？」秦王政問。

「本來有三個，眼下一個都沒有了。」老人悲嘆的說。

「都住在哪裡？」秦王政順口問，心想也許是出外經商或遊學去了。

老人用手指著堂屋中間苦笑的說：

「喏，都住在那裡！」

秦王政和蒙武順著他手指的方向看過去，在黯淡的油燈之下，看到祖宗牌位邊另有三個小牌位，上面的字跡看不清。但在堂屋中央掛著一塊匾額，上寫著「一門三忠烈」的大字卻看得很清楚，慚愧的是，匾額上的署名還是嬴政他自己。

當然，這匾額的字不是他的親筆，每年發出多少塊這類匾額他也不知道，但必須有特別事蹟和奇功才能得到這種匾額，這是法令明定的。

這是秦國民眾心目中的殊榮——能得到大王「親筆」題字讚揚的御匾。但秦王政自己在心裡想：

「白髮人送黑髮人，連喪三子，爲這塊匾付出的代價未免也太大了！」

「長子在武安君白起麾下任軍吏，戰死於長平之役，次子陣亡於攻韓之戰，最小的小犬死在十一年的攻鄴戰場上。」老人指著神案牆上掛著的一片看不清的東西又說：「那些都是我三個小犬在戰場上擄獲的紀念品，其中也有歷次戰爭中所得到的褒獎令和勳牌。」

老人一一指點，娓娓道出來歷，如數家珍，三個兒子用性命換來的這些東西，的確也算得上是家藏珍寶。

秦王政聽得內心激動不已，他暗示蒙武問老人需要什麼幫助，於是久在一旁沉默的蒙武說：

「老人家現在最需要的是什麼？」

「需要？」老人似乎聽不懂他的問話，他偏著頭想了很久，才說出一句話來：「也許我需要的是一個兒子！」

秦王政和蒙武聞言苦笑，卻聽到房間裡的啜泣聲變成嚎啕大哭，另一個較年輕的女人聲音在細聲安慰。

老人緊皺著眉頭說：

「那是老朽的老妻，自長平之戰喪去長子後，二十多年哭到現在，每晚都哭，眼睛都哭瞎了。剛才收拾飯桌的是次媳，那兩個半大小子就是她生的，一個十二歲，一個十五歲，十五歲，嗯，明年就要參加材官訓練，再過兩年又可以送上戰場了。」

秦王政和蒙武聽不出他話中的含意，不敢插嘴。

「我真的需要一個兒子！」老人的聲音突然大了起來，像是跟誰在生氣：「我老了，身體也不怎麼好，老妻眼睛瞎了，什麼都不能做，田裡屋裡，內內外外，全靠媳婦一個人在支撐。」

「老人家，您兩個孫子都快大了，您會享得到晚福的。」秦王政婉言安慰。

「孫子?晚福?」老人欲哭無淚的笑了：「早些年莊裡的人哪個不說我有福氣，妻子賢慧，兒子一個比一個俊俏能幹，最要緊的是個個孝順。現在怎麼樣?」老人瞪大眼睛看著秦王政：「孫子，我真希望他們不要長大，就這樣待在身邊，至少還可以幫家裡看牛砍柴，挑水打雜，一長大送上戰場就什麼都沒有了。」

「蒙武，我們要全盤解決後顧之憂的問題。」秦王政悄悄說。

「是，我們是否要多給老人家點金子，以作安慰?」蒙武也悄聲問。

「我們需要根除整個問題！」秦王政搖搖頭。

老人一直在旁注意蒙武對秦王政說話時的恭敬神態。

「老人家，今晚打擾太多，該告辭了，」秦王政起立抱拳作揖：「改日再登門致謝。」

「不要客氣，招待不周，」老人又恢復了先前的謙和冷靜，他不斷來回端詳著秦王政和蒙武：「下次經過的時候進來坐坐。」

「我們會的。」秦王政懇切的說，他看著燈光下老人臉上的皺紋和滿頭白髮。

「次子和幼子不死，該和你們差不多大，」老人意猶未盡，有點依依不捨的說：「其實，在這個莊子裡，我們家不能算是最糟的，至少生活還過得去，有的人家只剩下一個年輕寡婦，上有年邁的公婆，拖著四、五個幼小孩子，那才叫慘！」

「老人家，告辭了，」蒙武取出一錠大約二十兩的金子放在桌上：「這點小意思給兩位小哥買點糕餅吃。」

老人先當是銅錢，不經意的說：

「說好不要給錢的。」老人拿起金子要塞還蒙武，這時才發現不是銅錢，他臉色突變的對秦王政說：「你們到底是什麼人？」

「我們是咸陽本地人。」蒙武笑著說，想轉移他的注意力。

「哦，對你我眞的很面熟，尤其是你的鼻子和突出的胸部，眞的和他很像！」

「老人家說小的像誰？你的幼子？」秦王政有點緊張，拆穿了身份，麻煩可大了。

「不，像主上，但主上怎麼可能到這裡來！」老人搔搔頭。

「是啊，主上怎麼會來這裡？」蒙武笑著打混。

「小的真像嬴政嗎？」秦王政笑著問。

「老朽只遠遠的看過主上一次，也就是受領這塊匾的那次。」

「你恨嬴政？」秦王政再也忍不住要問：「害得老人家丟掉三個兒子，嗯，至少有兩個兒子是丟在他手上。」

「真是年輕不懂事，你怎麼連名帶姓直呼主上？」老人責怪的搖搖頭：「我不恨他，有些人會恨，但我告訴他們，秦國不打別人，別人也會打到秦國來，與其別人打我們，不如我們打別人。至於各家的境遇，只有看各家的命運了。」

「老人家的話真夠卓見。」秦王政轉向蒙武說。

「我只恨生在亂世，亂世人不如太平狗，這倒是真的。」他看著蒙武，突然又恢復剛才的話題：「你們不是常人，不然哪來這多金子？」

「小的家裡還算富裕，這點金子老人家拿去，也許可以為這個村子做點公益事情。」

老人想想說：

「也好，那老朽就收下了。」
那個半大小子進來說馬已備好。
秦王政和蒙武迅速上馬，像逃走似的馳離莊子。

10

當晚，秦王政再怎樣也無法入睡，他對是否要發動一場征服天下之戰，內心陷入了矛盾、焦急和徬徨，他始終徘徊在該不該的問題上。

爲了能睡著，他甚至召了蘇夫人來侍寢。往日這是他治療焦慮失眠的最有效良藥，每逢失眠，只要召個姬妾來，經過肉體的放縱和疲勞，他總是能立刻轉個身就進入夢鄉，將一切問題拖延到明日。

但今晚這劑猛藥並不管用，在做愛的時候，他進入不了狀況，頭腦反而更清醒活躍，想的還是該不該發動這場戰爭的問題，完事以後要近侍送走蘇夫人，他更是精神益發亢奮，一點睡意都沒有。

不得已他只有披衣起來，在室內轉動，就像頭囚在獸籠的猛虎想找出路。

長時間轉動和內心焦急的結果，他的精神變得恍惚起來，彷彿覺得自己變成了兩個人在激烈爭論著。

「你的祖先爲了擴大疆土，爲了要參加爭取中原盟主，不斷耗費秦人的生命，就像割取韮菜，剛冒出新的成熟葉子，立刻就割走了，那樣小的村莊不到三十年就丟掉上千條生命，你還想發動一場不知如何收場的征服天下之戰？」這一個嬴政說。

「幾百年來，戰爭不斷，百姓受苦，就是因爲天下沒有統一，我要發動這場戰爭，乃是以戰止戰，一勞永逸，不像祖先那樣時戰時休，目的只是爲了點土地。」另一個嬴政說。

「你在說謊，你在欺騙自己！你發動戰爭的目的完全和你的祖先一樣，征服天下，還不是想將天下變爲秦國，變爲個人及世代子孫所有，你哪裡是爲了秦國和天下百姓？」這個嬴政說。

「絕對不是！再說今天那位老人家的話很對，秦國不打別國，別國也會打到秦國來，與其在本土作戰，損失傷亡更大，不如以攻爲守，以魏韓爲溝壑。」另一個嬴政說。

「唉，其實你是可以用王道取天下的。以秦兵之強，擁有巴蜀之富，閉函谷關以自守，對內施行仁政，將秦國變成天下最富強而好禮的國家，不出二十年，各國都會信服你，各國百姓都會羨慕秦國百姓，自願做你的子民。」這個嬴政說。

「二十年行王道化民，絕對不夠。再說二十年後，我都快五十了，而且兵猶火，不戰將自焚，二十年的太平日子足以軟化任何人的心靈，到時候我還有這個雄心嗎？秦國人還能像現在這樣英勇善戰嗎？軟化的結果，再加上富有，可能會成爲別國侵略的對象，就像趙國一樣。」

「趙國雖富，只是富了上層人物，在邯鄲下層社會的慘狀，你是親眼見到的，貧富相差太大，人民兵卒莫不怨恨在上者的奢侈腐化，這樣的人民怎可用，兵卒怎麼能打仗？」這個嬴政說。

「所以我要抓住機會，滅掉趙國，韓魏就是囊中之物，併吞了趙韓魏就有了三分之二的天下，再攻齊楚，就不會有大困難了。」

「可是，你忘了今天看到的秦國民間慘狀，忘了他們因爲戰爭，家家都有年輕人喪生，夜夜都有寡婦寡母夜哭嗎？」這個嬴政說。

「一國哭不如一家哭，天下哭不如一國哭；長期哭，不如讓天下暫時痛快的哭一下。我要反問你，幾百年來，這麼多國君都號召和平，但天下卻哭了幾百年，你認爲維持現狀很好嗎？」那個嬴政開始反擊。

「不管怎樣，我認爲你還是先與民休養，多準備幾年，比較有把握。」

「等我們準備好了，別國又產生了賢君賢相，整頓好以後，以天下之力來謀秦，就像齊桓公和蘇秦與信陵君一樣，到時候秦國該怎麼辦？待時不如乘機，目前各國混亂，昏君庸臣在位的良機不可失。」另一個嬴政說。

「你眞殘忍，在今天親眼看到民間因戰爭發生的慘況，不但不反省，反而加速了侵略的決心！」

「你眞笨，不懂得『機不可失』這句話嗎？」

「你既殘忍又笨！」這個嬴政破口大罵：「不管民心去向，像頭只顧往前衝的野牛！」

「你既笨又懦弱，與民休養是你膽小和懶的藉口，你才是隻首尾兩端的小老鼠！」

兩個嬴政由講理而謾罵，最後似乎動手打了起來。

眞正的嬴政雙手捧著腦袋，只感到頭痛欲裂，他大聲喊著：

「停止！停止！我眞受不了你們這樣吵下去！」

值夜的近侍聞聲敲門，驚惶問道：

「陛下有什麼吩咐？」

「沒有，現在什麼時候了？」他有點不好意思，大王在寢宮內半夜大叫，傳出去又是個笑話。

「寅時下半時了。」近侍隔門稟告：「早朝時間快到了。」

「傳詔下去，今天的早朝停止，召丞相、御史、延尉、國尉、大將軍，及李斯、蒙武等人，酉時至內宮議事殿議事。」

「遵命！」近侍退去。

隔著房門，他聽到近侍們在竊竊私語。他不禁笑著想：「近侍們也許認為蘇夫人將我弄得太累了，不上早朝，還是我登基後的第一次！」

11

直到天將破曉，秦王政總算朦朧睡去，誰知這一睡就睡到了午後，起床後經過近侍服侍梳洗後，只覺得神清氣爽，精力充沛。

於是他到南書房召趙高帶來他已擬好的朝廷百官表，以及對李牧的資料蒐集。

只見百官表擬訂周密，百官職權劃分得清清楚楚，並且直的隸屬、橫的連繫都設計得非常巧妙，形成一道蜘蛛網似的行政體制，而秦王就是坐鎮中央的大蜘蛛，網上有任何動靜，蜘蛛都會很快發現事情發生點，迅速加以處理。

秦王政不得不對這個兒時玩伴另眼看待，才知道他在中隱老人那裡學到不少東西，而趙高靠著名師加上自己的才智和努力，也沒有浪費任何時間。

他打發走趙高，細細的閱讀李牧的個人資料。

李牧，越國北邊良將，常居代地雁門關，受到趙先王的賞識，准許他自設官吏，統轄軍政、邊境及市場關卡稅收，全由他調配支用。

他知道匈奴來去飄忽，騎兵的攻擊力和機動力都非趙軍所能比，於是他告誡屬下各將，凡遇到匈奴來襲，立即進入壁壘自保，有敢擅自接戰、貪功抓俘虜的，殺無赦！

他每天只是殺牛宰羊犒賞士卒，加強騎射訓練，多派間諜和搜索部隊，廣設烽火台和預警設施。

每當匈奴來襲，立刻下令全軍退入壁內自保防守，這樣過了幾年，匈奴每次來襲都是空手而歸。但匈奴認爲李牧膽小看不起他，邊關將卒也埋怨主帥缺乏勇氣，讓他們無法建立功勳，在趙國軍中沒有面子。

於是趙王數次派人責備李牧，李牧仍然自行其是，趙王發起脾氣來，將他召回，派其他人代替他的職務。

過了一年多，匈奴每次來襲，新主帥就率軍迎戰，但每次作戰都不利，而且士卒傷亡慘重，民間遭到擄掠，損失太多，趙人在邊境也不能畜牧和做生意了。

因此，趙王只得登門請李牧復出，李牧稱病，趙王說：「又不要你服勞役，到邊境上去養病都好，非你去坐鎮不可！」

李牧開出條件說：

「大王一定要臣去，必須准許臣用以前的舊戰略，臣才敢去。」

趙王答應了，李牧這才去復任。

到了任上，李牧告誡部下一切照舊，經過幾年，匈奴多次來犯，又和以前一樣毫無收穫而歸，匈奴始終認爲他膽小，很輕視他。但趙國士卒天天殺牛宰羊，多所賞賜，弄得自己都不好意思，於是全軍表示意願，願和匈奴決一死戰。

李牧這才挑選精兵，淘汰老弱，共選得車軍一千三百乘，騎兵一萬三千人，富於戰場經驗、曾經立功受賞的步兵五萬人，能用強弓勁弩的優良射手十萬人。

他將挑選出來的人另行編組，針對匈奴的游擊戰術進行布陣、迎戰及追擊訓練。等軍隊訓練完成，可行決戰的時候，李牧再用欺敵之計。

他派民眾出關畜牧，人民滿野，牛羊遍地。匈奴得到消息，小股入侵擄掠，李牧命前軍裝敗退卻，匈奴滿載而歸。匈奴單于得到報告，認爲發大財的機會到了，率領全國徒眾傾巢而至。

李牧採用口袋戰術，中間誘敵深入，而左右包圍奇襲，大破匈奴，斬首十餘萬，匈奴襜襤族因之滅亡，東胡族潰不成軍，林胡族投降，單于逃亡到更遠的北方。

以後十多年，匈奴再不敢接近趙國邊境。

秦王政看完了李牧的資料，不禁掩卷長嘆。

趙國出的名將不少，老將廉頗不用說了，用兵如神，名滿天下，幾乎沒打過敗仗。而馬服君趙奢，以一田部收租吏出身，竟能以不到秦軍三分之一的兵力，大敗秦軍於韓國閼與，使得以後秦軍聽到他的名字就膽寒，只有等他死後才敢向趙國用兵。

但是，歷代趙王都昏庸，喜歡聽信讒言，最後逼走廉頗，否則秦國長平之戰不會勝得那樣容易。

長平之戰，秦國十五歲以上精壯半數都投入戰場，要是慘敗，甚或是兩敗俱傷的慘勝，秦國的命運就不可知了。

現在又有一個李牧！

將來要如何對付他？

12

在議事殿的御前會議中，秦王政首先宣佈了兩項重要任命。

任李斯爲延尉，除掌理刑獄以外，並負責對外情報間諜組織的運用。

任尉繚爲國尉。

任李斯爲廷尉，眾大臣沒有話說，但對尉繚這個人卻大都很陌生。

「陛下，尉繚此人，秦國朝野都不熟悉，突然之間任爲國尉，恐眾將會不服。」丞相王綰首先提出異議。

「蒙武，」秦王政笑笑，喊著蒙武說：「你將尉繚的來歷和學識才能向大家說說。」

「是，陛下。」蒙武站起道出尉繚的來歷。

尉繚，大梁人，曾在各國爲客卿，才幹爲各國國君所激賞，但他總認爲各國君昏臣庸，積弱已久，不會有什麼大作爲，於是來秦遊說秦王政。

他主要的說詞是：「以秦國國勢之強，各國諸侯的力量只能看作和郡縣相當，怕只怕諸侯聯合對秦，出其不意的空擊偷襲，這就是歷史上智伯、夫差、湣王所以遭到敗亡的原因。所以希望大王不要愛惜財物，賄賂各國豪臣，打擊擾亂各國合縱的計謀，只不過花個三十萬金，就可以滅掉各國了。」

秦王爲他說動，採用了他的計策，對他行以賓主之禮，衣服飲食都和秦王一樣，但有天尉繚卻逃走了。

別人問他，秦王對你如此之好，爲什麼你還要不告而別？他的回答是：

「秦王這個人啊，隆鼻，長目，雞胸，豺聲，少恩而虎狼心，平時節儉勤奮，對人恭敬有禮，但將來得志後，亦會輕易吃人。現在我身爲布衣，沒有擔任官職，平時見到我亦執禮甚恭，不過有一天他得到天下以後，所有天下人都會變成他的奴隸了，這種人無法跟他長久相處，還是走了的好。」

但和李斯一樣，沒等到出函谷關，就爲秦國的緝捕系統所扣留，經過秦王政一再的懇求，才願留下爲秦國效力。

等蒙武簡介了尉繚，復座以後，秦王笑著問群臣說：

「各位卿家由此可以看出寡人唯才是用。」

眾大臣只有稱是。

這裡面只有李斯和蒙武兩個人明白，秦王這項任命其實是想由自己確實掌握軍權。以往無論呂不韋的人或者是宗室大臣擔任國尉，因爲和統軍將領都有深厚淵源，很容易發生嫪毒式的謀反事件。如今任命與秦國毫無關係的尉繚就不會有這層顧忌，今後國尉純粹成爲君王的幕僚，處理一些軍政的日常事務，辦理君王交代的任務。

接著秦王政將百官組織表交給丞相，由丞相召集有關大臣修改議定後覆奏。

以下是廣泛討論國事及議定出兵各國的戰略計劃。

經過徹夜的提案和討論，會議得到多個結論，其中重要的有——

第一，原則上今後只封爵位而不再列土，也就是說，爵位只是一種世襲榮譽，不再擁有土地和兵權，這是根本解決天下的諸侯割據亂源。

第二，全國實行郡縣制，今後佔得各國土地，依照秦國制度辦理。

第三，建立全國服役士卒的撫恤制度，戰死及傷殘者給予優厚撫恤及協助，並規定壯男從軍，家無男丁可從事農耕者，應由地方政府協助其農耕，並免除田賦，以免軍人在前方作戰有後顧之憂。

這項決議交由僕射蒙武詳細擬訂具體辦法和制度。

第四，恢復重農輕商基本國策，限制外國商人不得在秦購買土地，貸款農民利率由政府規定，商人不得以高利剝削農民。

第五，山林礦產鹽鐵全收歸國有，地方政府不得私自租賣給商人。

第六，秦國貨幣因為各國通商頻繁，形成混亂，今後限由官方鑄錢，各國貨幣及私人鑄錢不准流通，這項制度今後隨著軍事進展推行到全天下。

第七，廣設關卡，過關貨物按成收稅，以籌軍費。

其他還有多種措施，秦王政皆指定專人負責研究辦理，並擬訂詳細編組及實施辦法覆奏。最後，會議討論到平定天下的戰略目標及出兵先後順序。中間有一場激烈爭辯。

有人主張先滅楚以增加國力，同時解決側背之憂；也有人認爲先滅韓魏，再進軍趙齊，免得後方遭到襲擊；但秦王政終於採用了李斯攻趙滅韓的建議，理由是趙國目前爲中原核心，攻取趙國，東可以取齊，北可攻燕，而和楚國因有大河及長江的阻隔，楚想救趙亦不容易，秦軍側背都等於有了依託。

會議結束時，秦王政對群臣下達全國總動員令，無論軍費、兵員、後勤支援及有關事項，全都要在半年內完成，預定在秋季發動對趙攻勢，再順道滅韓。

會後各大臣紛紛議論，大家已明白看出，秦王政不但野心勃勃，有統一天下之志，而且要將所有權力全掌握在他手中，今後無論三公九卿只是他的僕從，奉命行事而已。

13

秦王政早朝回來，到南書房用早餐，這是他一天中最幸福愉快的一刻，因爲王后總是會將早餐準備好，等著他一起共進。可是今天他一進門就發現不對，几案上已放好了熱騰騰的早餐，可是王后滿臉淚痕，似乎哭過。

看到他來，王后慌慌張張的擦乾眼淚，避席跪著接駕。秦王政心裡多少有點不高興，難道一大早就又想起嬴得？有時候他眞不了解她爲什麼這麼固執，無論他對她怎麼好，都不能攻佔她爲嬴得神主所保留的那一席之地。

在坐下用餐時，他裝作不經意的問王后說：

「玉姊，剛才妳哭過了？大清早誰敢得罪妳？」

王后臉上此刻仍帶哀傷神情，但一聽他問，勉強微笑著說：

「你想到哪裡去了！我剛才是看了一篇文章，裡面舉了個故事作例子，我心有所感觸，忍不住流了淚。」

「哦，誰寫的文章這樣動人？」正在用餐的秦王放下玉箸：「拿來我看看！」

「看你性子總是這樣急，用完餐再拿給你看。」

在南書房裡，他們是純粹的民間夫婦。

「那先說給我聽聽，否則我就不吃了。」秦王政像幼弟似的撒嬌。

「好吧，」王后笑著說：「一共有好幾篇文章，是由韓國輾轉傳過來的，作者不知是誰，但看筆調簡樸卻又雄辯，像是古人所作。我剛看的一篇篇名爲〈說難〉，喂，你吃啊，你不吃我就不說了！」

「好，我吃。」秦王政像孩子一樣，趕緊吃了幾口。

「我是看到文章中所說的彌子瑕的故事，心有所感。」

「能不能說給我聽聽，看看妳的感傷有沒有道理。」秦王政笑著說。

「衛國的彌子瑕受衛君寵愛。有天深夜，彌子瑕聽到母親病了，他要趕時間，雖然明知衛國王法規定，偷駕君車的砍雙足，但他仍然駕著衛君的車子探母病去了。衛君聽到別人告發時，他反而說：『彌子瑕眞的是有孝心啊，爲了母親的緣故，甘心犯砍雙足的罪！』有次，彌子瑕和衛君共遊果園，他摘了一枚桃子吃，咬了兩口，覺得味道很好，順手就將吃剩的桃子拿給衛君吃。當時衛君很感動的說：『彌子瑕眞是愛我啊，有好吃的東西就想起了我！』

等到彌子瑕色衰而愛弛，衛君竟爲這兩件事加罪於他，罪名是：『曾經偷駕過我的車，又曾將食剩的桃子拿給我吃！』」

「彌子瑕是男子，會引起妳什麼感傷？」秦王政搖搖頭問。

「以色事他人，能得幾日好？男女都是一樣的。」說著說著王后的眼淚又出來了，她突然跪倒在地說：「大王對臣妾的好處，臣妾是知道的。今天處處容忍，只不過不知道一旦愛弛，又會加給臣妾什麼罪名。」

「玉姊，」秦王政趕快扶起王后，埋怨的說：「說好在南書房我們是民間夫婦，怎麼妳又來這一套！文章在哪裡？趕快拿給我看。」

秦王讀到〈說難〉文中最後一段——

天龍之爲蟲也，可擾狎而騎也，然其喉下有逆鱗盈尺，人有攖之，則必殺人，人主亦有逆鱗，說之者能無攖人主之逆鱗，則幾矣。

他坐著說：

「這個作者倒是懂得遊說的技巧，知道說服就要投君王所好，要是遇到我，他就糟了，我根本不會讓他猜中我的心意。」秦王政笑著向王后說。

等到他再讀到〈孤憤〉、〈五蠹〉等篇，他不禁擊案感嘆。他對王后說：

「唉，眞所謂朝聞道，夕死可也，我要是能和這個作者交遊，雖死無憾了。」

「男女讀書的著重點眞是不一樣，」王后坐著提醒：「作者據說是韓國人，李斯也是韓國人，也許他會知道詳細一點。」

「對啊！」秦王政拍案，他轉向侍立在門口的近侍說：「召廷尉李斯來！」

近侍立即退下傳詔，王后笑著說：

「看你急得這個樣子，別人才下朝，你又找他來。」

秦王政沒有答話，專心去讀他的書了。

沒等多久，李斯匆匆忙忙的趕到，嘴邊還留著沒擦乾淨的用餐痕跡。他行禮說：

「大王有何急事召臣？」

「沒有什麼急事，倒是有幾卷好文章請卿家來共賞。」秦王笑著將竹簡遞給他，一邊還說：「寡人得見此人與之遊，死不恨矣！」

李斯雙手接過竹簡，看了一下，笑著說：

「大王要見此人不難，這些都是臣昔日同窗韓非的作品！」

「韓非！」秦王皺著眉說：「何許人也？」

「韓非與臣同時受業大儒荀卿，他的才華臣自嘆不如。」

「那好，卿家是否可為寡人請韓非來秦，秦國新改政令，正需要這種人才。」秦王政高興的說。

李斯見到秦王如此欣賞韓非，突然內心有了警覺，他回答說：

「韓非患口吃，長於著書，寫有〈孤憤〉、〈五蠹〉、〈內外儲〉、〈說林〉、〈說難〉等十餘萬言，卻拙於說話，恐怕見到人會失望。」李斯有點後悔，剛才不應該話說得這樣快。

「寡人有這個耐心聽他結結巴巴的說話，」秦王政注視著李斯，神情有點懷疑：「再不然，請他爲寡人著書建立行政制度有何不可？」

李斯看秦王神色不對，趕快又啓奏說：

「大王急著要見他，本來不重視他的韓王可能因此想留著自用，而不肯放人。」

「我會下令桓將軍，要他加緊攻韓，韓王想談條件，就派韓非來。」

秦王政哈哈大笑，李斯也陪著笑，但內心總有一個疙瘩在。只有王后看到秦王的驕態和李斯的勉強樣子，在一旁暗暗搖頭。

〔請繼續閱讀第三部·龍騰四海之卷〕

附錄一

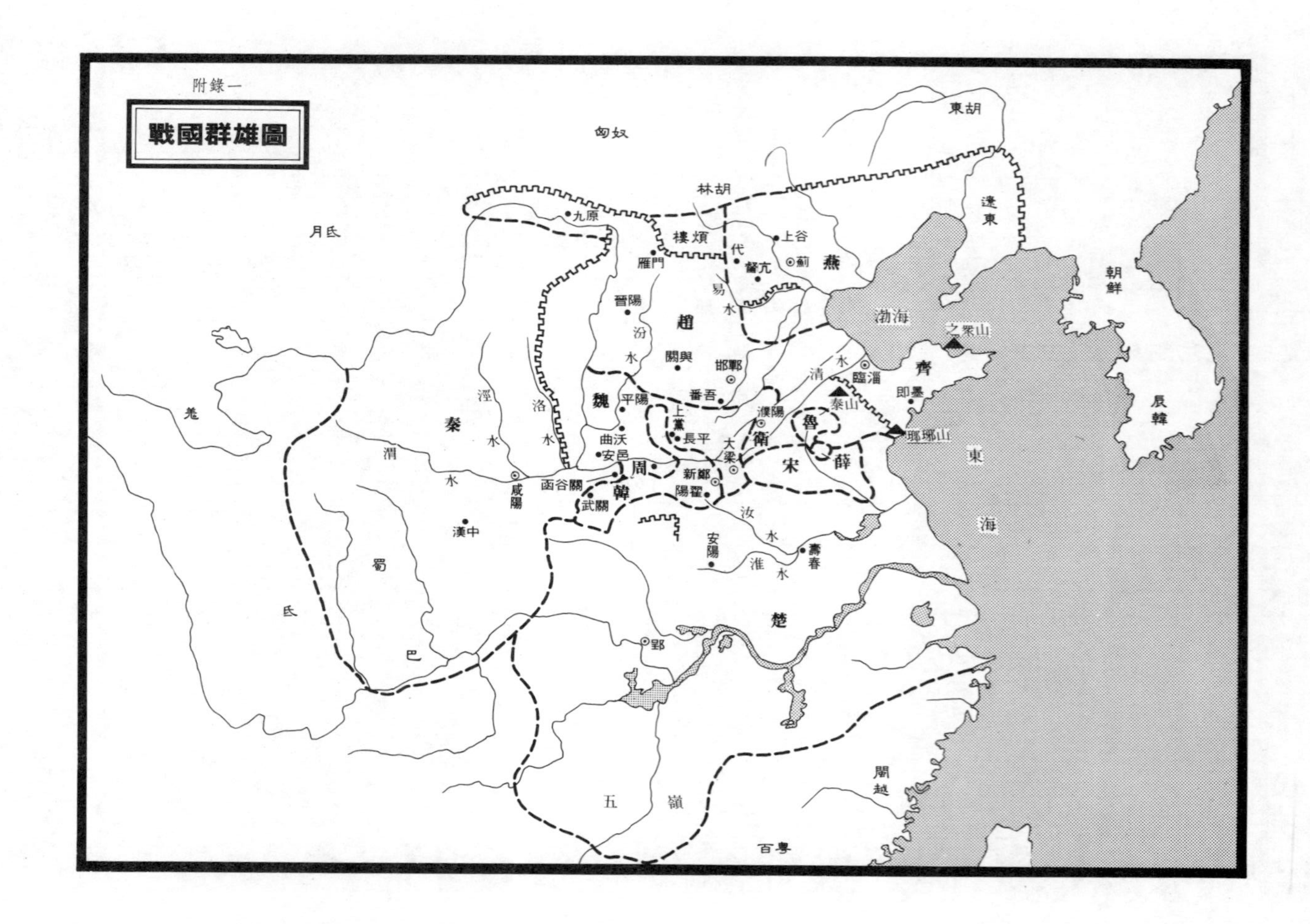
匈奴
東胡
林胡
月氏
九原
樓煩
雁門
代
上谷
薊
督亢
燕
遼東
朝鮮
辰韓
易水
晉陽
趙
汾水
閼與
邯鄲
渤海
之罘山
臨淄
齊
即墨
清水
泰山
羌
涇水
洛水
秦
魏
平陽
番吾
上黨
長平
濮陽
魯
曲沃
安邑
衛
大梁
宋
薛
瑯琊山
東
海
渭水
咸陽
函谷關
周
新鄭
陽翟
韓
武關
汝水
漢中
安陽
壽春
淮水
蜀
氐
巴
郢
楚
閩越
五
嶺
百粵

戰國群雄圖

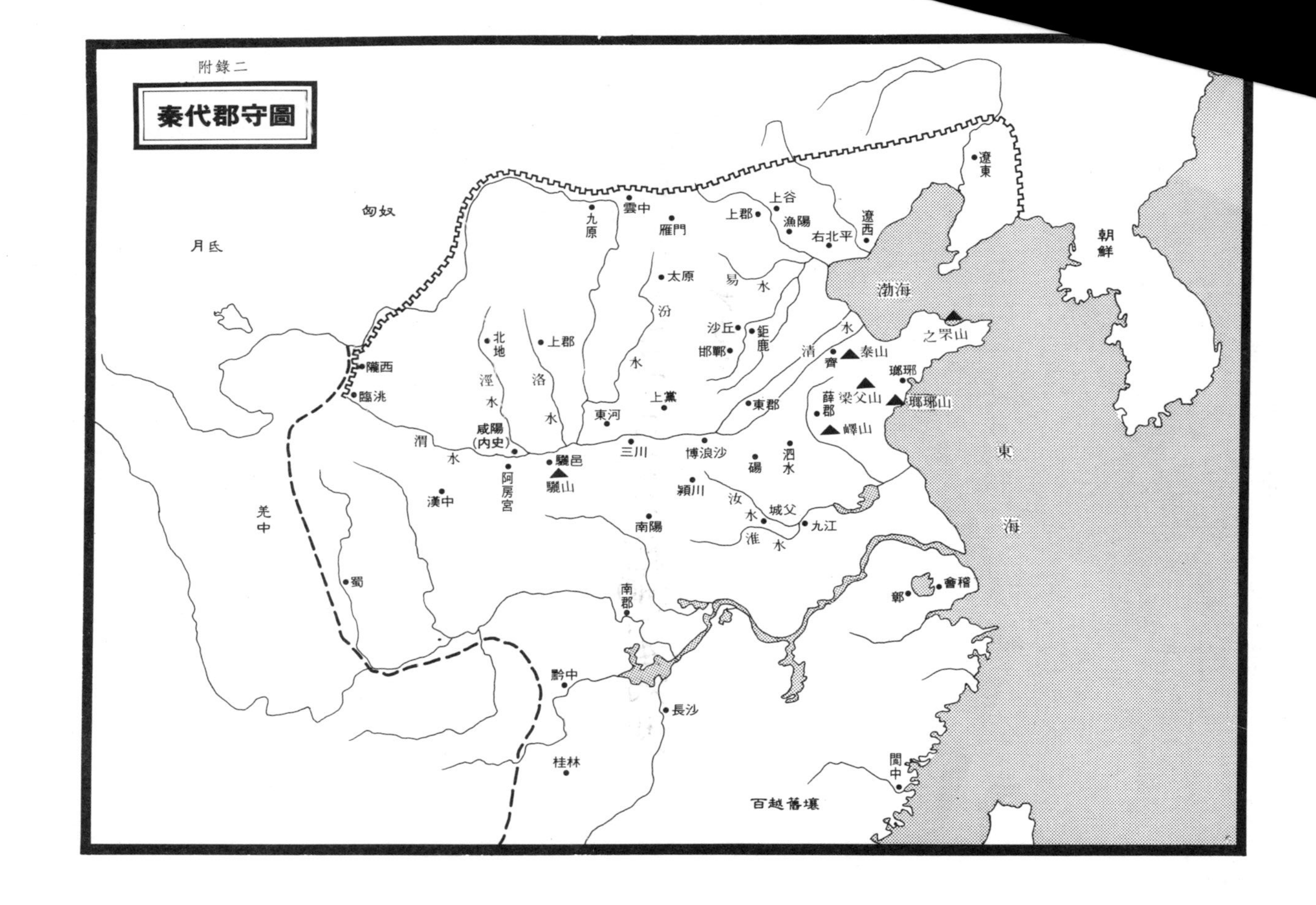
秦代郡守圖
匈奴
月氏
羌中
九原
雲中
雁門
上郡
上谷
漁陽
右北平
遼西
遼東
朝鮮
渤海
太原
易水
汾水
沙丘
鉅鹿
邯鄲
清水
之罘山
齊
泰山
瑯琊
梁父山
瑯琊山
薛郡
嶧山
隴西
臨洮
北地
上郡
涇水
洛水
上黨
東河
東郡
咸陽(內史)
渭水
驪邑
驪山
阿房宮
三川
博浪沙
碭
泗水
潁川
汝水
城父
九江
淮水
漢中
南陽
東海
蜀
南郡
鄣
會稽
黔中
長沙
桂林
閩中
百越舊壤

國立中央圖書館出版品預行編目資料

秦始皇大傳／李約著，--初版，--臺北市；
實學社出版：吳氏總經銷，84
册；　　公分--(小說人物；1-5)
ISBN 957-9175-01-2(--套；平裝)
ISBN 957-9175-07-1(一套；精裝)

857.7　　　　　　84000813

2003.6.27. PM:10:35. 閱畢天母家中、

環境生態學」二書

《上班高手》，則是王梅縱覽群書、採擷專家之言後，精煉而成的五十則自我經營律，無論在哪一方面，都有發人深省的見解，是上班族自我成長、激勵意志的最佳指導範本。

「辦公室環境生態學」二書，不但可解上班族在工作上的諸多疑難雜症，更可幫您建立信心，成爲一位全方位的工作戰士，縱橫職場，可說是上班族的實戰寶典，值得一再詳加研讀。

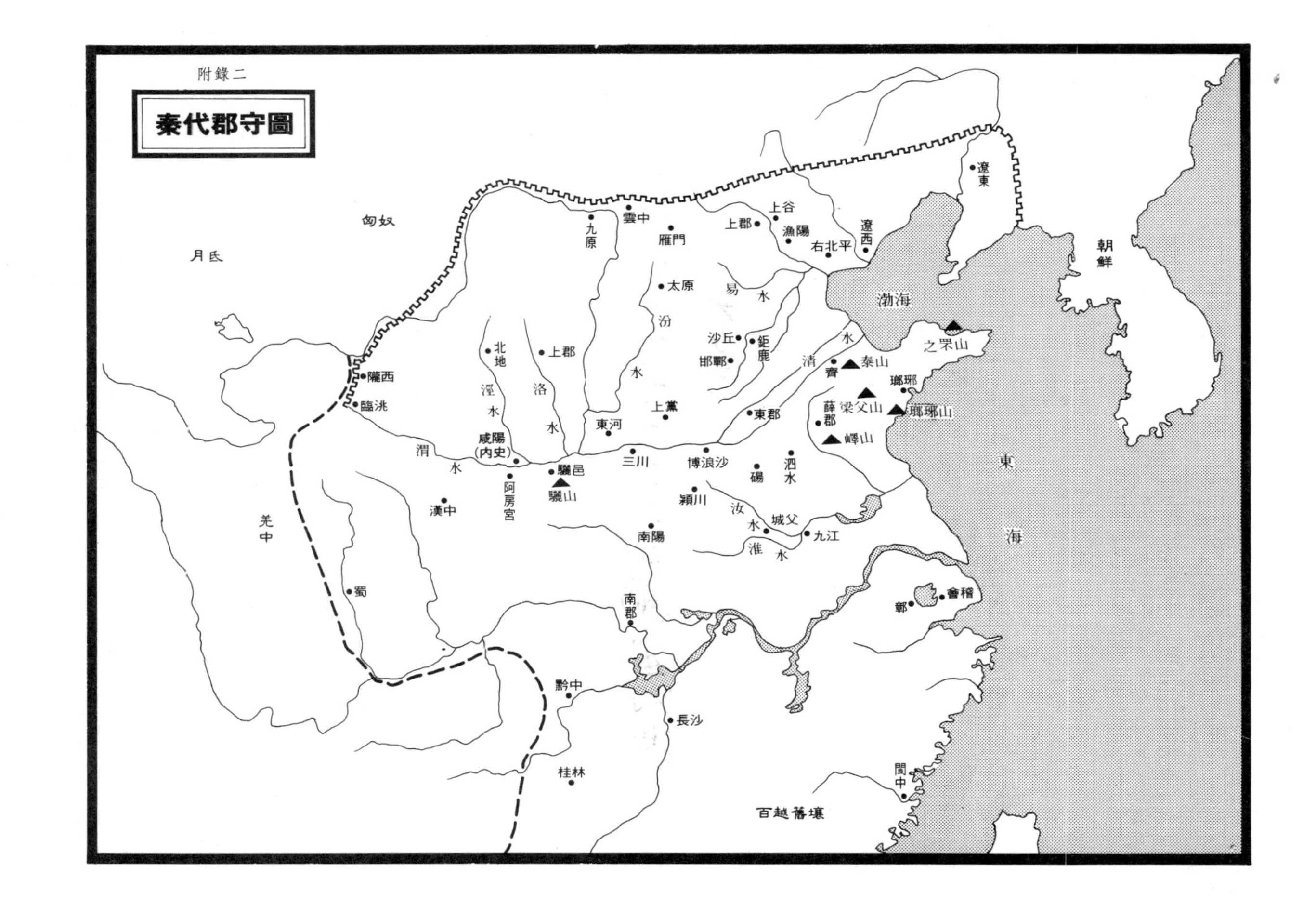
秦代郡守圖
匈奴
月氏
羌中
隴西
臨洮
蜀
漢中
渭水
咸陽(內史)
阿房宮
驪邑
驪山
北地
上郡
涇水
洛水
九原
雲中
雁門
太原
汾水
東河
上黨
三川
博浪沙
易水
沙丘
邯鄲
鉅鹿
上郡
上谷
漁陽
右北平
遼西
遼東
朝鮮
渤海
之罘山
清水
東郡
齊
泰山
琅琊
梁父山
琅琊山
薛郡
嶧山
碭
泗水
潁川
汝水
城父
九江
淮水
南陽
南郡
黔中
長沙
桂林
鄣
會稽
閩中
百越舊壤
東海

國立中央圖書館出版品預行編目資料

秦始皇大傳／李約著, --初版, --臺北市；
實學社出版：吳氏總經銷, 84
冊；　　公分--(小說人物；1-5)
ISBN 957-9175-01-2(--套；平裝)
ISBN 957-9175-07-1(一套；精裝)

857.7　　　　84000813

2003.6.27.PM:10:35.阅畢天母家中、

環境生態學」二書

《上班高手》，則是王梅縱覽群書、採擷專家之言後，精煉而成的五十則自我經營律，無論在哪一方面，都有發人深省的見解，是上班族自我成長、激勵意志的最佳指導範本。

「辦公室環境生態學」二書，不但可解上班族在工作上的諸多疑難雜症，更可幫您建立信心，成爲一位全方位的工作戰士，縱橫職場，可說是上班族的實戰寶典，值得一再詳加研讀。

書市消息

請・密・切・注・意

王梅「辦公室

① 上班打拚須知

② 上班高手——自我經營50律

◉資深記者王梅，深入觀察工作職場生態十餘年，深諳上班族在職場生涯中，面對各種狀況時的徬徨無依，以及亟待在工作上全面提昇的需求，特以輕鬆而明快的筆調、深入淺出的方式，娓娓剖析錯綜複雜的辦公室環境生態，向所有上班族提出最中肯而確切可用的建議。

在《**上班打拚須知**》中，有八十七位各領域精英的現身說法，貢獻出他們在各自天地中的工作經驗與人生智慧，讓所有讀者可以充分吸收，快速活用，截人之長，補己之短，找到自己最適合的工作方式。

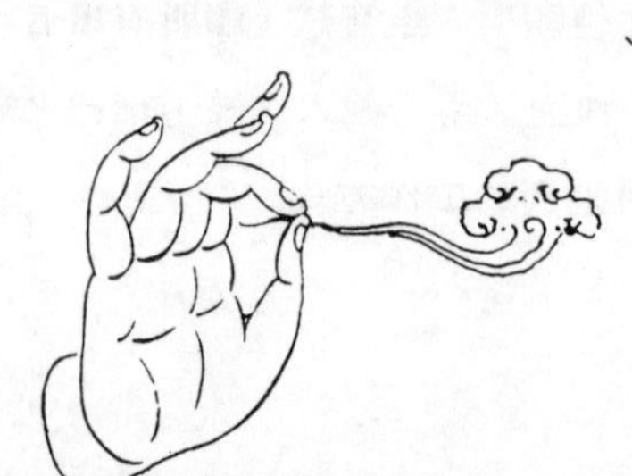

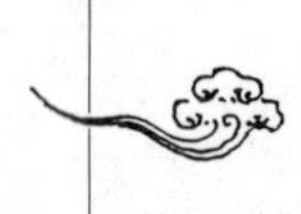

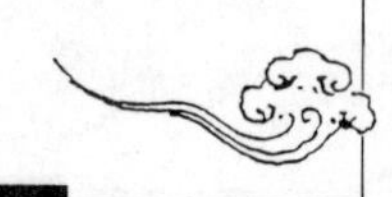